MARCO BARDAZZI

NELLA VIGNA DEL SIGNORE

VITA DI

Joseph Ratzinger

PAPA BENEDETTO XVI

Rizzoli

Prima edizione: maggio 2005

Titolo originale: *Benedict XVI: Life, Faith and Teachings*

Realizzazione editoriale: Studio Editoriale Littera, Rescaldina (MI)

NELLA VIGNA DEL SIGNORE

CAPITOLO I

PRIMAVERA ROMANA

Lo «scherzo» di Wojtyla

Un uomo solo, con un basco in testa a coprire la chioma bianca, camminava veloce nel crepuscolo di una serata romana di primavera. Assorto in chissà quali pensieri, o in quali preghiere, si era lasciato alle spalle le colonne di piazza San Pietro, il porticato con cui Gian Lorenzo Bernini aveva permesso alla basilica dei papi di allungarsi in un abbraccio rivolto ai cristiani di tutto il mondo. Attraverso il cancello di Sant'Anna, era entrato in Vaticano per andare a trovare un amico morente. Un papa che se ne stava andando, dopo aver cambiato il mondo negli oltre ventisei anni trascorsi dal giorno in cui si era affacciato per la prima volta sulla piazza e aveva aperto le braccia come il colonnato del Bernini, stringendo a sé una folla in festa.

Pochi passanti, in quella sera di primavera, avevano riconosciuto sotto il basco il cardinale Joseph Ratzinger. Vedendolo, qualcuno si era fatto in silenzio il segno della croce.

Ratzinger si stava dirigendo verso il palazzo apostolico e l'appartamento del papa. Da oltre un quarto di secolo il suo amico Karol Wojtyla viveva in tre semplici stanze, con pochi mobili e nessun lusso. Su un letto ottocentesco dalla solida testata di legno, Giovanni Paolo II stava morendo vicino alle sue poche cose: un crocifisso, una vecchia lampada sul tavolino di legno, le foto di papà Karol e mamma Emilia sul comodino. Ratzinger abitava poco lontano, in un appartamento al quarto piano di un palazzo subito fuori dalle mura vaticane.

Tanti anni prima, nel 1981, Wojtyla aveva voluto a Roma il cardinale portandolo via dalla sua Germania. Ratzinger da allora era stato al fianco del papa, ma con il passare del tempo era sorta in lui l'esigenza di farsi da parte, di tornare agli studi, nell'amata Baviera. Dopo il settantacinquesimo compleanno, aveva provato più volte a confrontarsi con Giovanni Paolo II e la risposta era sempre stata un affettuoso «Sì, sì, ne parliamo presto».

Ma il momento del distacco dal Vaticano non era mai venuto. E per Ratzinger, invece, arrivava il momento del distacco dal papa. Tra i pensieri nei quali era assorto quella sera di primavera, forse c'era anche quello più segreto, magari più temuto: ovvero che l'amico Karol gli stesse preparando un ultimo «scherzo» per non fargli lasciare Roma.

Giorni dopo, il 19 aprile 2005 – festa di san Leone IX, papa alsaziano dell'XI secolo – in un pomeriggio dal cielo grigio, l'uomo che fino a poco tempo prima entrava e usciva dalle mura vaticane con il semplice basco in testa, come un romano qualunque, si è affacciato al balcone della basilica di San Pietro, di fronte a centinaia di migliaia di persone e alle televisioni di tutto il mondo. Questa volta aveva un nuovo nome: Benedetto XVI, il duecentosessantacinquesimo papa della storia, il primo del Terzo millennio, il primo pontefice tedesco novecentocinquant'anni dopo Vittore II, eletto nel 1055.

«Papa Wojtyla, ancora una volta, gli ha impedito di tornare in Germania» ha commentato poco dopo, sorridendo, il portavoce della Santa Sede, Joaquin Navarro-Valls.

Dopo aver dato l'addio all'amico Karol di fronte ai potenti della Terra, dopo la sua tumulazione nelle Grotte Vaticane, per il settantottenne Ratzinger, che sognava di andare in pensione, è arrivato invece il momento di un nuovo inizio.

Le passeggiate nelle stradine antiche di Borgo Pio o in piazza San Pietro, le cene nel ristorante preferito, *Cantina Tirolese*, le visite alla parrocchia di periferia di Santa Maria

Consolatrice, tutte le piccole abitudini acquisite in tanti anni trascorsi a Roma, per Joseph Ratzinger sono andate perse con la morte del «suo» papa. All'età in cui la gran parte degli uomini decide che è ora di riposarsi, l'ex cardinale ha iniziato il proprio cammino nella storia.

Giovanni Paolo II gli ha lasciato in eredità ben più del letto ottocentesco, nel quale Benedetto XVI ha esitato per qualche tempo a prendere il posto occupato per più di ventisei anni da un papa che il popolo ha subito proclamato santo, preferendo un'altra sistemazione.

Quando il 2 aprile la Chiesa cattolica ha perso la propria guida, c'è chi ha sostenuto che con la morte di Giovanni Paolo II si sia veramente chiuso il XX secolo. Al suo successore ora tocca raccogliere il testimone dei duemila anni di una storia cominciata con l'apostolo Pietro e guidare i cattolici dentro il XXI secolo, con le sue molteplici sfide.

Il compito che Benedetto XVI si è trovato di fronte, all'inizio del suo papato, è stato di quelli che fanno tremare, sia guardando al panorama interno del cattolicesimo sia allargando lo sguardo allo scenario internazionale.

Un'eredità complessa

I papi della seconda metà del secolo scorso, soprattutto Giovanni XXIII e Paolo VI, avevano iniziato ad ampliare l'orizzonte dell'azione nel mondo. Ma è con Giovanni Paolo II che la Chiesa cattolica è diventata a tutti gli effetti un soggetto globale.

Papa Ratzinger è ora il punto di riferimento non solo per gli 1,1 miliardi di cattolici battezzati, ma anche per la moltitudine di uomini e donne di altre religioni – o di nessuna religione – che nel polacco Wojtyla hanno riconosciuto negli anni passati un modello di umanità, e ai quali il papa si è offerto come una sorta di portavoce dei diritti e della dignità umana.

Ma il nuovo pontefice ha dovuto da subito fare i conti con le riserve che all'interno del mondo cattolico sono emerse in questi decenni sull'insegnamento della Santa Sede, di cui Ratzinger è stato il difensore come prefetto della Congregazione per la dottrina della fede. La famiglia, la sessualità, il ruolo della donna nella Chiesa, la ricerca scientifica sono alcuni dei temi più scottanti su cui Benedetto XVI è stato chiamato a confrontarsi con il pensiero moderno e la mentalità comune, come ha per altro già fatto per anni nelle vesti di cardinale.

Le nuove generazioni, le stesse che hanno osannato Giovanni Paolo II, mostrano grandi difficoltà ad accettare le indicazioni del Vaticano ad esempio in tema di contraccezione, anche se in molte parti del mondo si avvertono segnali di una crescente attenzione all'astinenza, vista anche come metodo di educazione alla sessualità. L'uso dei preservativi è da anni un argomento complesso anche nel dibattito sulla lotta all'Aids, in particolare in Africa.

L'aborto resta uno dei terreni di battaglia su cui la Chiesa cattolica fa sentire con più forza la propria voce, anche quando diventa oggetto di lotta politica come nel caso degli Stati Uniti. Lo stesso discorso vale per l'eutanasia, così come per la pena di morte. La difesa della sacralità della vita, dal concepimento all'ultimo respiro, è un tema su cui anche il nuovo papa non avrà ripensamenti: per il Vaticano aprire la strada alla possibilità che la vita sia interrotta per iniziativa dell'uomo, eludendo il Mistero, è semplicemente un rischio mortale per l'umanità. Vista con gli occhi della dottrina cattolica, è una questione di rispetto della dignità della persona, che va difesa da aggressioni o discriminazioni di qualunque genere.

Vecchie e nuove sfide si uniscono, nell'agenda del pontefice, quando si tratta di aprire il capitolo dei nuovi modelli di famiglia. Al divorzio, contro il quale la Chiesa cattolica si batte da sempre, si aggiunge il fenomeno in crescita delle unioni gay.

Dai laboratori di ricerca di tutto il mondo arrivano nuove promesse per l'umanità, ma anche nuove sfide per il papato. L'uso di embrioni per la ricerca nel campo delle cellule staminali è già da tempo motivo di forte preoccupazione e di decisa censura da parte delle gerarchie ecclesiastiche. La clo-

nazione, i metodi di fecondazione artificiale, le terapie gene-
tiche e in generale l'intero scenario della bioetica promet-
tono di offrire argomenti di dibattito per gli anni a venire,
sui quali il Santo Padre non mancherà di far sentire con forza
la propria voce.

All'interno della Chiesa, Benedetto XVI dovrà confrontarsi con la crisi delle vocazioni, le difficoltà nelle missioni, le
pressioni di molti vescovi per una maggiore partecipazione,
che equivale in sostanza all'eterna richiesta della periferia di
contare di più nelle scelte rispetto al potere della curia romana. Il ruolo da assegnare alla donna nella Chiesa del futuro è un altro nodo destinato a venire nuovamente al pet-
tine, non solo e non tanto sul piano del sacerdozio femminile – un concetto che non trova spazio nel panorama cattolico – quanto su quello della possibile maggiore partecipazione delle donne alla conduzione della comunità cristiana.

La piaga della pedofilia tra i sacerdoti, emersa in tutta la
sua drammaticità soprattutto negli Stati Uniti, offre un ulteriore motivo di riflessione.

Uno sguardo planetario

Aprendo la sua finestra su piazza San Pietro e guardando
verso il mondo, papa Ratzinger ha di fronte a sé vasti scenari
che propongono opportunità di evangelizzazione e tante,
tantissime sfide. Prima di tutto in Europa, dove il cristianesimo è in ritirata e dove l'autorità morale del Vaticano stenta
sempre più a farsi ascoltare. In un momento in cui il calo de-
mografico e la forte immigrazione soprattutto dai Paesi musulmani stanno cambiando il volto del continente, l'Europa
è in evidente crisi di identità e le radici cristiane non vengono più riconosciute come fondamento comune.

Al di là del Mediterraneo, i 143 milioni di cattolici del-
l'Africa sono solo il 13 per cento della popolazione del continente, ma si tratta della parte del mondo dove il cattolicesimo registra la maggiore crescita, anche se rischia sempre

più spesso di entrare in collisione con l'Islam. L'Africa, amata da Giovanni Paolo II, continuerà a restare centrale nella visione della Santa Sede perché è qui più che altrove che emergono spunti di riflessione sottolineati con forza negli anni scorsi da Wojtyla. Il papa polacco che aveva contribuito a far cadere il comunismo, è stato anche quello che ha puntato l'indice sugli eccessi e i rischi del capitalismo e che ha continuato a esortare i Paesi ricchi a puntare lo sguardo sui drammi africani. La povertà, le disuguaglianze nella distribuzione delle risorse, la lotta alla fame e alle epidemie e gli interrogativi sulla direzione che dovrà prendere la globalizzazione continueranno per il Vaticano ad avere nell'Africa il terreno concreto dove cercare di trasformare in fatti le promesse spesso vuote della comunità internazionale.

In relazione al Medio Oriente, Benedetto XVI proseguirà nel dialogo avviato con il mondo musulmano e nello stesso tempo dovrà affrontare la spinosa questione della sopravvivenza di una Chiesa ormai esangue nei Paesi arabi. Il Vaticano è alla ricerca di nuove strade per affrontare quello che si presenta come uno dei temi cruciali del XXI secolo: il rapporto tra l'Occidente e l'Islam. Contraria agli scenari da «scontro di civiltà», la Chiesa cattolica punta su modalità innovative di apertura all'Islam moderato – che è maggioritario – e a collaborare per isolare le fazioni più radicali del mondo arabo. Una necessità diventata di drammatica urgenza nel mondo ridisegnato dall'attacco all'America dell'11 settembre 2001. Altrettanto delicato è il confronto con Israele e più in generale con gli ebrei, argomento su cui Giovanni Paolo II ha espresso posizioni innovatrici.

In relazione al Medio Oriente e al Golfo potrebbero verificarsi anche nuove tensioni tra la Santa Sede e Washington, dopo i «no» alle due guerre in Iraq pronunciati da Giovanni Paolo II nel 1991 e nel 2003. Eventuali nuove iniziative militari americane che appaiano ingiustificate al Vaticano riceveranno un monito analogo a quello di papa Wojtyla: «La guerra è un'avventura senza ritorno».

L'Asia, con l'eccezione delle Filippine, è ancora in gran

parte terra di frontiera e di missione per il cattolicesimo. Solo il 10 per cento degli abitanti del continente professano la fede cattolica ed esistono realtà dove i seguaci del papa sono perseguitati. Il caso più significativo è quello della Cina, dove otto milioni di cattolici sono ancora costretti a vivere in clandestinità. Il sogno di Giovanni Paolo II di intraprendere un viaggio in Cina, come quello di visitare la Russia e riappacificarsi con i cristiani ortodossi, è ora nelle mani del suo successore.

Mosca è una delle eredità più difficili lasciate da papa Wojtyla. Il rapporto con l'Est ortodosso è rimasto teso e l'invito che arriva dalla Russia al Vaticano è quello di «frenare l'attività missionaria» dei cattolici: l'opposto di un'apertura al dialogo. La visita di un papa all'ombra del Cremlino appare lontana, all'inizio del pontificato di Benedetto XVI.

In Nord America, gli Stati Uniti sono senza dubbio un terreno fertile per la Chiesa cattolica. Al di là della presenza di 66 milioni di cattolici nel Paese, alimentata negli ultimi decenni soprattutto dall'immigrazione ispanica, ci sono innegabili segnali di un nuovo dialogo all'interno del mondo cristiano, tra i fedeli di Roma e i protestanti di varie denominazioni. Su temi come la bioetica o l'aborto, le battaglie sono diventate spesso comuni tra Chiese che in un passato non troppo lontano si guardavano con grande diffidenza. Ma lo scandalo della pedofilia ha steso un'ombra di risentimento e di sospetto verso i preti e le gerarchie che fanno capo al Vaticano, tale da richiedere anni prima che le ferite comincino a sanarsi.

La fetta di mondo forse più interessante, per la Chiesa cattolica del nuovo millennio, è l'America Latina. Quasi metà dei cattolici mondiali ormai vive tra il Messico e la Terra del Fuoco. Tuttavia se solo cinquant'anni fa più del 90 per cento dei sudamericani erano cattolici, oggi la percentuale è scesa al 70 per cento.

La grande sfida qui, per il papa, è rappresentata dalla rapida diffusione delle Chiese evangeliche. I battisti, in particolare, sono impegnati in una gigantesca opera di proselitismo nell'America del Sud e la Chiesa cattolica fatica a contrapporre una proposta di vita e di fede che appaia altrettanto attraente.

In Brasile, il Paese con il maggior numero di seguaci della Chiesa cattolica al mondo, secondo uno studio dell'Università di Notre-Dame la percentuale dei cattolici è passata dal 99 per cento di un secolo fa, all'84 per cento nel 1995 e al 74 per cento oggi. Dal 1991 al 2000, il numero degli evangelici è cresciuto dell'8 per cento all'anno, quello dei cattolici solo dello 0,28. Le cifre non sono molto diverse negli altri Paesi. In Argentina le Chiese evangeliche hanno visto crescere i fedeli del 10 per cento ogni anno negli ultimi cinque anni; i peruviani erano cattolici al 98 per cento nel 1940, mentre oggi il 12 per cento della popolazione appartiene a Chiese evangeliche; nel 1992, il 77 per cento degli abitanti del Cile si professava cattolico, ma in soli dieci anni la percentuale è scesa al 71 per cento.

Papa Ratzinger dovrà trovare il modo di inviare più sacerdoti nelle parrocchie dell'America Latina, dove i pastori protestanti si moltiplicano a ritmi impensabili per la Chiesa cattolica, assai più lenta a preparare i propri ministri nei seminari. Se in Europa c'è oggi un prete ogni 1385 cattolici e in Asia il rapporto è di 2408 a uno, in America Latina per ogni sacerdote ci sono ben 6364 anime da aiutare.

Cristo, centro della storia

Ma gli scenari di geopolitica e le statistiche, se fanno la gioia di analisti, giornalisti ed esperti e aiutano a dare un'idea delle questioni aperte di un papato che s'avvia, restano in realtà secondari rispetto a ciò che da duemila anni muove il successore di Pietro.

Per capire i passi che compirà papa Benedetto XVI, sarà decisivo tenere a mente come il pontefice in primo luogo ha a cuore la possibilità di rendere testimonianza personale di «Cristo centro del cosmo e della storia», come Giovanni Paolo II affermava nell'enciclica *Redemptor hominis*.

Che si tratti di prendere posizione su una questione di bioetica o di andare a visitare una remota parte del mondo, il papa parte dalla proposta del cristianesimo come vera realizzazione dell'umano. In quest'ottica, è inevitabile che quando parli di uguaglianza, di dignità dell'uomo o di libertà, lo faccia con un criterio di giudizio della realtà che non è, né sarà mai, quello della mentalità comune.

Il 18 aprile, prima dell'inizio del conclave dal quale è uscito papa, Ratzinger aveva già delineato nell'omelia della messa di quel giorno i termini della sfida, accusando quella che ha definito «la dittatura del relativismo, che non riconosce nulla come definitivo e che lascia come ultima misura solo il proprio io e le sue voglie. Avere una fede chiara, secondo il credo della Chiesa» aveva affermato «viene spesso etichettato come fondamentalismo. Mentre il relativismo, cioè il lasciarsi portare qua e là da qualsiasi vento di dottrina, appare come l'unico atteggiamento all'altezza dei tempi odierni».

Una «fede chiara» Joseph Ratzinger l'ha sempre avuta, fin da ragazzino. E non si è mai tirato indietro quando si è trattato di difenderla.

Capitolo 2

LA BAVIERA

Anni bui

Incastonata in uno scenario idilliaco ai piedi delle Alpi, con atmosfere da fiaba alimentate dai castelli disneyani o dai ricordi della principessa Elisabetta, universalmente nota come Sissi, la Baviera è da tempi antichi cuore pulsante d'Europa. Nelle foreste e lungo i corsi dell'Inn e del Danubio, nelle valli verdi di una fetta di continente stretta tra il resto della Germania, l'Austria e la Repubblica ceca, si sono giocate nel corso dei secoli le vicende del Sacro Romano Impero e le innumerevoli battaglie di re, duchi e nobili di vario genere.

Poco ricettiva ai tumulti della Riforma di Martin Lutero che attraversarono la Cristianità tedesca nel Cinquecento, la Baviera rurale è rimasta fondamentalmente una realtà dove un cattolicesimo solido, popolare, ha continuato a costituire la base della vita comune. La condivisione della storia con i vicini austriaci ha dato vita a una profonda cultura mitteleuropea e a una grande fioritura di pensiero. Ma è in questa regione d'Europa che cominciò a prendere forma anche una delle tragedie della storia contemporanea: il nazismo.

L'ultimo re di Baviera, Ludovico III, salì al trono alla vigilia della Prima guerra mondiale, ma capitolò nel 1918 sull'onda di una protesta di massa, guidata dal socialista Kurt Eisner, che portò a una marcia su Monaco e alla caduta indolore della monarchia. Ludovico III fuggì con la famiglia e fu in breve tempo costretto ad abdicare formalmente.

La rivoluzione pacifica di Eisner sfociò ben presto in violenze tra le varie fazioni dello stesso movimento e il traballante governo installato a Monaco si trovò subito in difficoltà, in mezzo ai tumulti provocati dagli scontri tra socialdemocratici di opposte tendenze, anarchici, comunisti. Eisner decise nel febbraio 1919 di rinunciare al governo, ma fu assassinato prima ancora di poter formalmente dare l'annuncio delle dimissioni. Prima il socialdemocratico Johannes Hoffmann, poi un gruppo di scrittori e infine i comunisti tentarono di dar vita a governi bavaresi, per poi però venire alla fine spazzati via dall'esercito tedesco.

Un governo reazionario fu istituito nel marzo 1920 da Gustav von Kahr e nel suo sottobosco, a Monaco, cominciarono a formarsi gruppuscoli e partiti vari. Il 5 gennaio 1919, per iniziativa di Anton Drexler, nella principale città della Baviera era nato il Partito operaio tedesco e nell'agosto 1920 l'organizzazione era stata trasformata nel Partito nazionalsocialista operaio tedesco (NSDAP). Al gruppo aderì in quel periodo un caporale nonché artista fallito austriaco, Adolf Hitler.

Hitler era nato nel 1889 a Braunau, sul versante austriaco del fiume Inn. Reclutato nell'armata bavarese, durante la Grande Guerra era stato decorato con la Croce di ferro. Il piccolo partito al quale aderì, che nella sigla faceva appello agli operai e al socialismo, in realtà era un'organizzazione della piccola borghesia nazionalista, che proponeva l'idea di uno Stato centrale forte e una rigida disciplina militare come base educativa. Antisemitismo e antimarxismo erano due fondamenti del programma del NSDAP, che mirava all'allontanamento di quegli elementi considerati antinazionali. La proposta del partito prevedeva inoltre la ricusa del trattato di Versailles e l'unione (*Anschluss*) dell'Austria allo Stato tedesco.

L'8 novembre 1923, Hitler ed Erich Ludendorff tentarono un colpo di Stato a Monaco con seicento uomini, proclamando la «rivoluzione nazionale» e sequestrando gli amministratori locali. La polizia bavarese ebbe ragione di loro il giorno dopo, uccidendo diciannove nazisti e mettendo in fuga gli altri, tra i quali Hitler, che fu però in breve tempo catturato e condannato a cinque anni di prigione a Landsberg, a ovest di Monaco. Qui cominciò a scrivere *Mein Kampf*, ma dopo solo un anno, nel 1924, fu rimesso in libertà per «buona condotta».

La Germania era a un passo dal collasso economico. Hitler stava iniziando la propria ascesa e la Baviera era sempre più in mano alla destra nazionalista.

Il poliziotto di campagna

Tra i tanti che in quegli anni guardavano con preoccupazione, e con indignazione, all'emergere di Hitler e dei suoi compagni nel cuore della civile Baviera, c'era un poliziotto di periferia dalla profonda fede cattolica, Josef Ratzinger, figlio di una famiglia di antiche tradizioni contadine bavaresi.

Nel 1927, Ratzinger si era stabilito con la moglie Maria a Marktl am Inn, un piccolo villaggio nella diocesi di Passau, non lontano dall'Austria e neppure da Braunau.

La loro vita scorreva lontano dal caos di Monaco e ancor più dai molteplici eventi del resto del mondo. L'anno si era aperto con una rivoluzione tecnologica, la prima telefonata transoceanica da New York a Londra. La voglia di attraversare l'Atlantico e di rendere il mondo più piccolo si sarebbe concretizzata, tra il 20 e il 21 maggio di quell'anno, con la prima trasvolata solitaria da New York a Parigi, realizzata da Charles Lindbergh. Il 7 aprile, nell'America ottimista e spendacciona dei «ruggenti anni Venti», disinteressata di quello che stava bollendo nel cuore dell'Europa, era stata realizzata la prima trasmissione a lunga distanza di un'immagine: stava nascendo la televisione. Un mese dopo, a Los Angeles, vedeva la luce la Academy of Motion Picture Arts and Science, che sarebbe diventata presto famosa per i suoi premi Oscar.

In un'altra parte del mondo, le truppe britanniche erano state inviate in Cina, provocando rivolte e centinaia di morti. Nel Medio Oriente, l'Arabia Saudita proclamava l'indipendenza dall'Impero britannico.

Sempre in America, quell'anno sarebbero stati giustiziati gli italoamericani Sacco e Vanzetti, tra proteste internazionali. In Unione Sovietica, Stalin riusciva a prendere tutto il potere con l'espulsione di Leon Trotskij dal Partito comunista.

Tutti eventi che arrivavano solo come echi lontani, o non arrivavano affatto, nella quiete domestica della famiglia Ratzinger.

Dopo la nascita di due figli, Georg e Maria, il 16 aprile di quel 1927 in casa Ratzinger era arrivato il terzogenito.

Joseph Alois Ratzinger nacque il pomeriggio del Sabato Santo, la vigilia della Pasqua, in una casa al numero 11 di Marktplatz, un edificio giallo e bianco con i battenti di legno che si affaccia sulla piazza del mercato. Dal 1997, una targa sulla facciata ricorda l'evento.

I genitori lo fecero battezzare il giorno stesso, per ricevere l'«acqua nuova», cioè l'acqua battesimale benedetta nel rito della notte di Pasqua. Il fonte battesimale neogotico utilizzato nell'occasione sarà trasferito nei decenni successivi nel piccolo museo cittadino di Marktl am Inn.

«Essere il primo battezzato della nuova acqua» scriverà Ratzinger nel libro *La mia vita. Ricordi (1927-1977)* «era un importante segno premonitore. Personalmente sono sempre stato grato per il fatto che, in questo modo, la mia vita sia stata fin dall'inizio immersa nel mistero pasquale [...] Eppure, quanto più ci penso, tanto più mi pare una caratteristica della nostra esistenza umana, che ancora attende la Pasqua, non è ancora nella luce piena, ma fiduciosa si avvia verso di essa.»

Per il futuro Benedetto XVI è sempre stato difficile dire quale sia la «sua» città, il luogo dove si trovano le sue radici. Avvolto nel calore di una famiglia di grande devozione e di solide tradizioni, il piccolo Joseph per anni si trovò a cambiare di continuo abitazione, di villaggio in villaggio, girando la Bassa Baviera rurale. «Non è per nulla facile dire dove io sia di casa» spiegherà Ratzinger.

Il motivo era il lavoro di commissario di gendarmeria del padre, ma con il passare degli anni, un certo peso lo ebbe anche il temperamento di quest'ultimo. Via via che il nazismo prendeva piede in Baviera, cresceva anche l'avversione del padre del piccolo Joseph per quelle milizie che apparivano immediatamente un'aberrazione agli occhi di gente dalla fede semplice e solida come i Ratzinger.

Due anni dopo la nascita di Joseph, la famiglia si trasferì a Tittmoning, un villaggio sul confine austriaco. Vi rimase per tre anni poi, nel 1932, arrivò il momento di un nuovo trasloco.

Lo scenario era cambiato profondamente dal 1927. La repubblica di Weimar era vicina al crollo, i nazisti erano a un passo dal prendere il potere su scala nazionale e ormai dominavano la Baviera. A Monaco era stato dato avvio alle prime persecuzioni contro gli ebrei, le sinagoghe erano sempre più nel mirino e l'antisemitismo dilagava. Il commissario Ratzinger aveva cominciato a criticare apertamente quei fanatici e l'atmosfera, intorno alla famiglia, si era fatta rovente. Fatti i bagagli, Josef, Maria e i figli si spostarono da Tittmoning ad Auschau am Inn, alle pendici delle Alpi. Una sorta di esilio che pare essere stato scatenato da qualche parola di troppo detta dal padre del piccolo Joseph a un insegnante di Tittmoning, un fervente nazista che aveva cercato di imporre nel villaggio un rito pagano che aveva fatto inorridire il cattolico Ratzinger.

Da Auschau, nel 1937 la famiglia si spostò ancora, stavolta per raggiungere Traunstein, la località dove il futuro papa trascorse gran parte della gioventù e che ancora oggi considera, più di ogni altra, il luogo delle proprie origini.

Quattro cambi di città prima ancora di raggiungere i dieci anni d'età, nel clima sempre più cupo del nazismo – una realtà così estranea alla cultura cattolica che per secoli si era sviluppata nella Bassa Baviera –, hanno avuto probabilmente un peso decisivo nella formazione del carattere di Joseph Ratzinger. Di certo sono rimasti i segni profondi, positivi, determinanti dell'educazione ricevuta dai genitori. L'eredità di mamma Maria, che lavorava come cuoca, faceva il sapone in casa per risparmiare e dava lezioni ai suoi bambini, trasmettendo loro una fede che deve essere apparsa subito affascinante ai fratelli Georg e Joseph, considerato che nel giro di pochi anni avrebbero scelto entrambi la strada dal seminario. E l'eredità di papà Josef, che con ogni probabilità ha trasferito al figlio, tra l'altro, la fermezza nel difendere la propria fede dalle insidie delle correnti «moderne» del momento – quale senza dubbio era, all'epoca, il nazismo.

«Ricordo sempre con grande affetto» ha detto Ratzinger in un'intervista alla Radio Vaticana poco tempo prima di essere eletto papa «la profonda bontà di mio padre e di mia madre, bontà che significa anche capacità di dire «no", perché una bontà che lascia correre tutto non fa bene all'altro.» Poche parole nelle quali è rintracciabile l'itinerario di una vita intera e la chiave di lettura forse anche di tante prese di posizione che gli attireranno dure critiche, negli anni trascorsi in Vaticano come prefetto della Congregazione per la dottrina della fede.

Traunstein

La cultura mitteleuropea faceva sentire i propri effetti sul piccolo Joseph. La vicinanza dell'Austria portò ben presto al suo orecchio, da Salisburgo, le note di Wolfgang Amadeus Mozart, che diventerà per Ratzinger la passione di una vita. Il pianoforte si rivelò un amico destinato a fare compagnia al futuro papa, che anche sulla tastiera, come nella teologia, sarà in grado di dimostrarsi un virtuoso.

Ma la cultura, come tutto il resto, era ormai in pericolo sotto l'onda del nazismo imperante. Nel settembre 1933, con Hitler ormai al potere in Germania, era stata creata la Camera per la cultura del Reich, che aveva un controllo ferreo su tutte le forme d'arte: dalla musica alla letteratura, dalla pittura al teatro, tutto doveva passare al vaglio del capo della propaganda hitleriana, Joseph Goebbels. A musicisti ebrei come Mendelssohn e Hindemith veniva vietato di esibirsi. Uomini di cultura che si ribellavano, come Thomas Mann, erano costretti all'esilio.

Proprio nel 1937, l'anno dell'arrivo dei Ratzinger a Traunstein, Hitler annunciò che era giunta «la fine della follia artistica e della contaminazione del nostro popolo nell'arte».

La famiglia Ratzinger era andata a vivere in una fattoria del XIX secolo a Hufschlag, alla periferia di Traunstein, in una zona circondata da una foresta di querce. Papà Josef ben presto andò in pensione, mentre i figli iniziavano le loro carriere scolastiche.

Il giovane Joseph scoprì qui per la prima volta, a scuola, il latino e il greco, due delle tante lingue «straniere» che avrebbe imparato negli anni. Ma i primi anni scolastici (1937-1939) saranno anche quelli del confronto diretto con gli orrori del Reich. Nella Stadtplatz, la piazza centrale di Traunstein, erano comparsi cartelli con l'ordine di non comprare niente dagli ebrei. Il peggio stava arrivando.

Tra l'8 e il 9 novembre 1938, in quella che passerà tristemente alla storia come la «notte dei cristalli», i nazisti diedero il via a devastazioni sistematiche delle proprietà e dei negozi degli ebrei in tutto il Paese. Circa ventimila ebrei vennero arrestati, più di centottanta sinagoghe devastate e una quarantina di ebrei rimasero uccisi nella furia distruttiva. Anche a Traunstein, la piccola comunità ebraica locale subì arresti e angherie.

Il padre di Joseph, così come il parroco cattolico del paese, seguivano inorriditi la situazione che precipitava e nella famiglia Ratzinger – come ha raccontato anche il primogenito Georg – era salda la convinzione che solo nella Chiesa e nel suo insegnamento fosse possibile trovare rifugio da tanta follia. «Nessuno dubitava» ha scritto Joseph Ratzinger nella sua autobiografia «che la Chiesa fosse il luogo delle nostre speranze. Malgrado le molte debolezze umane, essa era stata il polo di opposizione all'ideologia distruttiva della dittatura nazista; essa era rimasta in piedi nell'Inferno che pure aveva ingoiato i potenti, grazie alla sua forza, proveniente dall'eternità. Noi avevamo la prova: le porte degli inferi non prevarranno su di essa.»

Nel 1939, a dodici anni, Joseph entrò nel Seminario minore St. Michael, dando inizio alla carriera ecclesiastica che lo porterà fino a San Pietro. Georg lo aveva preceduto di poco. «Le sue pagelle indicano che era uno studente eccezionale» ha raccontato Thomas Frauenlob, il rettore attuale. «Imparò latino, greco ed ebraico. Ma a differenza del suo predecessore come papa, non è mai stato molto sportivo.» Da un'altra parte d'Europa, in Polonia, un adolescente di nome Karol Wojtyla quell'anno si distingueva in effetti in molteplici sport, oltre che per le proprie doti didattiche, alla facoltà di Filosofia dell'Università Jagellonica di Cracovia.

Tra il 1939 e il 1941, Ratzinger era entrato a far parte della Gioventù hitleriana. Un episodio mai nascosto nei decenni a seguire, anche se talvolta i suoi detrattori hanno tentato di utilizzarlo per gettare un'ombra sulla sua persona. Ma le dichiarazioni del diretto interessato e le testimonianze di chi è a conoscenza della realtà di quegli anni hanno dimostrato, con chiarezza, come si trattasse di un'adesione obbligatoria, decisa per lui dai responsabili del seminario e alla quale un ragazzino nella Germania di Hitler non avrebbe potuto sottrarsi. Del resto, la storia familiare dei Ratzinger non presenta traccia di simpatie naziste. Tutt'altro.

Ratzinger riuscì a liberarsi dopo qualche tempo degli obblighi di frequentare l'organizzazione giovanile nazista, grazie al suo ruolo di studente in seminario.

Ma il mondo nel frattempo era entrato nel caos della Seconda guerra mondiale e neppure le porte del seminario riuscirono a proteggerlo dalla chiamata alle armi.

Capitolo 3

DAGLI ORRORI ALL'ALTARE

Soldato Joseph

«Lo studente Joseph Alois Ratzinger deve presentarsi il 2 agosto 1943 alle ore nove nel cortile davanti alla scuola. Da lì verrà poi trasportato insieme agli altri al posto di combattimento assegnatogli.»

La lettera arrivò alla fine del luglio 1943 nel seminario di Traunstein. La data sul foglio era quella del 26 luglio. In Italia era appena caduto Benito Mussolini, mentre il regime nazista, dopo aver raggiunto il massimo del proprio potere nel 1942, era sempre più accerchiato. Hitler aveva bisogno di tutte le forze disponibili, ragazzini compresi. Il tono della lettera e soprattutto il timbro con l'aquila del Reich lasciavano assai poco spazio alle repliche.

Se era riuscito dopo qualche tempo a ridurre la presenza nella Hitlerjugend, la Gioventù hitleriana, e poi a sottrarsi per motivi di studio, il diciassettenne Ratzinger non aveva alcuna possibilità di sfuggire all'ordine di arruolamento che, oltre a lui, era arrivato a tutti i suoi compagni al Seminario St. Michael.

Al giovane Joseph fu data una divisa della Wehrmacht. Il suo compito era difendere un impianto della BMW nel sud della Baviera. All'inizio gli fu permesso di tornare tre giorni la settimana a Monaco per proseguire gli studi presso il Maximilians Gymnasium, ma il privilegio durò poco.

L'unità a cui era assegnato Ratzinger era addetta ai cosiddetti Flak, il nomignolo dato ai Fliegerabwehrkanone, armi di difesa antiaerea che la Germania aveva prodotto in quantità impressionanti in quegli anni e che erano utilizzate per vari scopi. Le unità più leggere avevano mitragliatrici da 12,7mm e piccoli cannoni mobili da 20mm che potevano muoversi in fretta per formare un perimetro di difesa in caso di attacchi aerei a convogli o installazioni militari. C'erano poi i Flak da 37mm, più potenti e meno mobili, e infine i cannoni da 88mm, che ben presto furono dotati anche della capacità di utilizzare i radar per il puntamento. A partire dal 1942, la Germania aveva schierato quindicimila cannoni da 88mm in linee di difesa Flak che arrivavano fino in Olanda.

Ratzinger, che racconterà in seguito di non aver mai sparato un colpo durante il proprio periodo militare, nei mesi trascorsi a proteggere l'impianto della BMW ebbe l'occasione di vedere da vicino uno dei grandi orrori del nazismo. Negli stabilimenti venivano infatti portati, per svolgere le peggiori mansioni, detenuti del vicino campo di concentramento di Dachau, dove tra il 1933 e il 1945 passarono oltre duecentoventimila prigionieri. Il numero degli ebrei morti a Dachau è rimasto sconosciuto, ma nel campo finivano persone di tutte le religioni e gruppi etnici, perché era principalmente un luogo di detenzione per prigionieri politici e dissidenti religiosi.

Nel settembre 1944 Joseph fu mandato per un breve periodo a casa, a Traunstein, ma venne subito richiamato per un nuovo incarico. Questa volta si trattava di piazzare trappole anticarro lungo il confine austriaco. Il soldato Ratzinger si trovò sotto il comando e le angherie dell'Österreichische Legion, una formazione tristemente nota in Baviera per la sua violenza. «Si trattava quindi di nazisti della prima ora [...] persone fanaticamente ideologizzate, che ci tiranneggiavano con violenza» scrisse in *La mia vita* il futuro papa. Mentre lavorava alle trappole anticarro, Ratzinger vide più volte passare lunghe colonne di ebrei ungheresi rastrellati dai tedeschi che si avviavano ai campi di sterminio.

Il 16 aprile 1945, al compimento dei diciotto anni, fu la volta dell'addestramento militare di base con la fanteria tedesca. Insieme a lui c'erano ora persone di ogni età, chiunque potesse indossare una divisa e impugnare un fucile, per cercare di difendere l'indifendibile.

La Germania era ormai a un passo dal crollo, il Reich era al capolinea. I soldati tedeschi sapevano che era solo questione di tempo: poco mancava al completo sfaldamento della potenza militare di Hitler. E alcuni di loro si fecero sempre più temerari. Uno di questi fu Joseph Ratzinger.

Appena diciottenne, egli compì, forse d'istinto, un gesto che avrebbe potuto costargli la vita: disertò. Con ancora la divisa indosso, lasciò la sua unità e si mise sulla strada di casa. Ma, ben presto, incrociò una pattuglia delle temute SS. Si sentì spacciato. Sapeva bene quello che toccava ai disertori come lui. Le SS non si facevano alcuno scrupolo a fucilare all'istante chi sorprendevano lasciare il posto di combattimento. Altre volte, si preoccupavano di impiccarlo al più vicino lampione, così che fosse di esempio ad altri che potevano coltivare gli stessi propositi.

Ma la Provvidenza, a quanto pare, aveva altri progetti per Joseph. «Per fortuna, erano di quelli che non ne potevano più delle guerre e non volevano trasformarsi in assassini» racconterà anni dopo il futuro Benedetto XVI. Le SS gli guardarono il braccio, che era bendato per una ferita che Ratzinger si era procurato poco prima. «Camerato, sei ferito. Passa pure» gli dissero. Un terribile scampato pericolo.

L'ormai ex soldato raggiunse ben presto casa e abbracciò papà Josef e mamma Maria. Di nuovo a Traunstein, ma per poco.

Era il maggio 1945, gli americani erano arrivati anche in Baviera. Quando entrarono a Traunstein, rastrellarono casa per casa e si presentarono anche dai Ratzinger. Joseph fu riconosciuto come un soldato tedesco. Gli fecero indossare di nuovo la sua uniforme e poi gli ordinarono di marciare verso la piazza centrale, con le braccia ben alzate. Con lui, furono radunati altri militari tedeschi e venne formato un consistente gruppo di prigionieri di guerra. Non c'era tensione né terrore, solo la stanchezza che accompagnava l'epilogo di una guerra tremenda.

I prigionieri furono fatti incolonnare e si misero in marcia.

Sotto il controllo delle armi degli americani, camminarono tre giorni su strade un tempo percorse in modo incessante dai mezzi pesanti dell'esercito tedesco e ora invece deserte e silenziose. Nei ricordi di Ratzinger è rimasta impressa l'immagine della lunga colonna di prigionieri provenienti da tutte le parti che si ingrossava e diventava un fiume di uomini sconfitti, ma grati di essere vivi. «I soldati americani fotografavano» raccontò «soprattutto noi, i giovanissimi e gli anziani, per portarsi a casa il ricordo dell'esercito sconfitto e della desolata condizione di chi ne faceva parte.»

Per settimane, Joseph rimase in un recinto all'aperto per i prigionieri, creato dagli americani con il filo spinato. Alla fine, il 19 giugno, lo lasciarono andare. Un camionista che trasportava latte gli diede un passaggio fino a Traunstein.

A casa, tra gli abbracci, Josef e Maria Ratzinger si sentivano divisi da sentimenti contrastanti. C'era la gioia per il ritorno di Joseph, ma anche la preoccupazione per Georg. Il fratello maggiore, ora ventunenne e anche lui da tempo in divisa militare, non dava notizie dal mese di aprile e la famiglia era in profonda apprensione per la sua sorte.

A metà luglio, Georg ricomparve all'improvviso. Era abbronzato per tutto il tempo trascorso all'aperto e stava bene. Dopo gli abbracci, Georg si mise al piano e intonò *Grosser Gott, wir loben Dich*, un inno viennese settecentesco di ringraziamento a Dio scritto da Ignaz Franz. Joseph, la sorella Maria e poi i genitori si unirono al coro.

La guerra, per la famiglia Ratzinger, era davvero finita. Il futuro papa ricorderà i mesi successivi, nella quiete domestica e nella calma postbellica, come uno dei momenti più felici della sua vita.

Di nuovo in seminario

Georg e Joseph Ratzinger potevano finalmente tornare ai loro studi e riprendere il cammino che il Signore aveva tracciato per loro. Avevano vissuto l'intera adolescenza nel pieno di una delle peggiori guerre della storia, avevano visto il male di cui è capace l'uomo, ma cominciavano ad avere elementi sufficienti per affermare che il dolore, gli orrori, il peccato non sono l'ultima parola sul destino dell'uomo.

Anche l'aberrazione nazista, che sembrava invincibile, era stata spazzata via. La salda educazione ricevuta da papà Josef e mamma Maria trovava conferme. Davvero «le porte degli inferi non prevarranno».

«La consapevolezza di essere in Dio, di entrare nella famiglia creata da Dio e da Cristo, fu una bellissima esperienza vissuta insieme, da fratelli» dirà in futuro Georg Ratzinger, ricordando l'esperienza del seminario. «Il pensiero, vissuto dalle nostre menti giovani, che era una scelta per tutta la vita, che avrebbe accompagnato ogni nostro atto e decisione.» Un cammino deciso insieme fin da piccoli: «Già alla scuola elementare: vivevamo in un piccolo villaggio, pensavamo ai valori, all'amore, al bene».

Pur proseguendo un cammino parallelo a quello di Georg, il giovane Joseph maturava in quegli anni soprattutto il legame con la sorella maggiore Maria, che diverrà una delle persone più importanti della sua vita e vivrà a Roma al fianco del fratello prefetto della Congregazione per la dottrina della fede fino alla propria morte, negli anni Novanta.

Nel novembre 1945, i fratelli Ratzinger rientrarono in seminario. Nel grande edificio bianco e imponente, su una collina sopra il centro di Traunstein, Georg e Joseph pregavano, studiavano, scherzavano con i compagni nei lunghi corridoi, dormivano su letti a castello in una vasta camerata comune. Sono gli anni che rinsaldarono nell'uomo che sarà papa la passione per la letteratura e la musica e una curiosità onnivora.

Per proseguire gli studi, nel 1947 Ratzinger si trasferisce al Georgianum, un antico seminario bavarese di Monaco fondato nel 1494 e collegato all'università cittadina. La sua immersione nella teologia e nella filosofia diventa totale e matura il carattere del futuro prete, che raccoglie voti eccellenti e si fa notare per la propria vivacità intellettuale. La formazione sacerdotale si divide, per il seminarista, tra il Georgianum e la Scuola superiore di filosofia e teologia di Frisinga.

È qui, a Frisinga, che Joseph Ratzinger inizierà l'avventura ecclesiastica che lo porterà prima a Monaco, poi a Roma all'ex Sant'Uffizio e infine, in un giorno di primavera, dentro la Cappella Sistina, all'elezione a guida della Chiesa cattolica.

Frisinga

Oggi un centro di trentaseimila abitanti a poche decine di chilometri a nord di Monaco, Frisinga è una delle località più antiche della Baviera. Fu il santo vescovo Corbiniano di Arpajon, presso Parigi, ad arrivare qui nell'VIII secolo per annunciare la fede cristiana. La diocesi locale fu fondata da san Bonifazio nell'anno 739.

Il segno distintivo di Frisinga sono le due torri campanarie della cattedrale di Santa Maria e San Corbiniano, consacrata nel 1250 dopo che un edificio precedente, una basilica romanica, era stato distrutto da un incendio nel 1159.

La cattedrale sarà per lungo tempo un punto di riferimento e di preghiera per Joseph Ratzinger, che trascorse anni di studio e di docenza nell'atmosfera medievale di Frisinga. Non è difficile immaginare il giovane Ratzinger che si aggirava nel chiostro decorato dagli stucchi di Johann Baptist Zimmermann, immerso nei libri della biblioteca barocca locale o in ammirazione dell'eleganza romanica della cripta che nei sotterranei custodisce le spoglie di san Corbiniano.

Il santo ispirerà anni dopo a Ratzinger, diventato arcivescovo di Monaco e Frisinga, il proprio emblema caratterizzato da un orso. Si narra che Corbiniano, sulla strada per Roma, vide un orso assalire il cavallo che portava il suo bagaglio: furibondo, ordinò all'animale di farsi carico del fardello fino a Roma. Alla fine, il santo liberò l'animale che aveva compiuto quanto gli era stato ordinato. L'orso di san Corbiniano fa ora parte dello stemma papale di Benedetto XVI.

Più difficile intuire i pensieri che nella cripta suscitava a

Ratzinger una delle molteplici colonne che sorreggevano il sotterraneo dedicato al santo. Si tratta della celebre Colonna della Bestia, le cui delicate sculture raffigurano la battaglia del cristianesimo contro il male, rappresentato da mostri con le sembianze di coccodrilli.

Nella cattedrale, il 29 giugno 1951, solennità dei santi apostoli Pietro e Paolo, Georg e Joseph Ratzinger venivano ordinati sacerdoti, nel corso di una cerimonia celebrata dall'arcivescovo di Monaco, cardinale Michael von Faulhaber.

Da Frisinga, cuore spirituale della Baviera, don Joseph per il momento non si allontanò. Appena un anno dopo essere diventato sacerdote, rientrava nella scuola da cui era appena uscito come studente, ma stavolta con l'incarico di docente.

Nel 1953 conseguì la laurea in teologia all'Università di Monaco, con una dissertazione sul tema *Popolo e Casa di Dio nella dottrina della Chiesa di sant'Agostino*. Due grandi teologi tedeschi dell'epoca, Gottlieb Söhngen e Michael Schmaus, figuravano come correlatori nella discussione del lavoro del ventiseienne Ratzinger.

Quattro anni dopo, sarà ancora Söhngen, professore di teologia fondamentale a Monaco, ad accompagnare don Joseph alla libera docenza con un lavoro su *La teologia della storia di san Bonaventura*.

Osservato con stima e grande attenzione dai teologi più importanti della Baviera, «accompagnato» dalle figure dei due santi cui aveva dedicato i propri studi di quel periodo – Agostino e Bonaventura –, a trent'anni Joseph Ratzinger era professore di dogmatica e di teologia fondamentale presso la Scuola superiore di Frisinga.

I segni dell'inizio di una grande carriera erano già tutti presenti.

CAPITOLO 4

LA MUSICA, LA BELLEZZA

Mozart e Dostoevskij

La teologia che assorbiva il Joseph Ratzinger degli anni Cinquanta non lo allontanava certo dalle sue altre passioni, prima tra tutte la musica. Anzi, è in questo periodo che cominciò a farsi solida, nel carattere e nel pensiero del futuro papa Benedetto XVI, la convinzione che uno degli approcci a Cristo che più colpiscono il cuore dell'uomo è quello che passa attraverso la bellezza.

Mozart e la musica classica suggerivano al Ratzinger trentenne riflessioni e uno sguardo sulla realtà che non avevano niente da invidiare a quelli che emergevano dai libri di sant'Agostino o san Bonaventura. «Bellezza è conoscenza» avrebbe detto anni dopo, sviluppando le prime intuizioni degli anni di Frisinga «una forma superiore di conoscenza, poiché colpisce l'uomo con tutta la grandezza della verità.»

Negli anni in cui sarà alla guida della Congregazione per la dottrina della fede, Ratzinger dovrà sopportare l'inevitabile etichetta che gli avversari gli attaccheranno prendendola in prestito dai *Fratelli Karamazov*: quella del grande inquisitore. Ma non è certo quella cupa profezia a conquistare Ratzinger, bensì un altro passaggio firmato Dostoevskij, che citerà spesso: «La bellezza salverà il mondo».

Passeggiando tra le architetture medievali di Frisinga e continuando come faceva fin da piccolo a immergersi nelle musiche della cultura mitteleuropea, primo fra tutti l'amato Mozart, il giovane professore poneva così le basi per quella sua passione per il bello che avrebbe poi espresso negli interventi e nelle riflessioni del futuro. «La vera conoscenza» disse per esempio nel 2002, in un messaggio al Meeting di Rimini per l'amicizia tra i popoli «è essere colpiti dal dardo della bellezza che ferisce l'uomo, essere toccati dalla realtà, «dalla personale presenza di Cristo stesso" [...]. L'essere colpiti e conquistati attraverso la bellezza di Cristo è conoscenza più reale e più profonda della mera deduzione razionale. Non dobbiamo certo sottovalutare il significato della riflessione teologica, del pensiero teologico esatto e rigoroso: esso rimane assolutamente necessario. Ma da qui, disdegnare o respingere il colpo provocato dalla corrispondenza del cuore nell'incontro con la bellezza come vera forma della conoscenza, ci impoverisce e inaridisce la fede, così come la teologia. Noi dobbiamo ritrovare questa forma di conoscenza, è un'esigenza pressante del nostro tempo.»

Il teologo che si apprestava a immergersi nel complesso periodo degli anni Sessanta, a fare i conti con il Concilio Vaticano II e poi a scontrarsi con il '68 e le sue conseguenze per la Chiesa, manteneva intatto il fascino per il bello che aveva coltivato durante gli anni dell'infanzia negli scenari pastorali della Baviera. Il ruolo che la musica di Mozart aveva avuto in casa Ratzinger aveva lasciato il segno.

«La musica, dopo tutto» dirà alla fine degli anni Novanta «ha il potere di mettere insieme la gente. L'arte è fondamentale. La ragione da sola, così come è espressa nelle scienze, non può essere la risposta completa dell'uomo alla realtà, e non può esprimere tutto ciò che un uomo può, vuole e ha bisogno di esprimere.»

Con il passare del tempo, Ratzinger parlerà di musica con i toni dell'innamorato. È il caso, ad esempio, di un aneddoto che racconterà una volta, definendolo «un'esperienza indimenticabile». Si trovava a Monaco in occasione della morte del direttore Karl Richter, uno dei più grandi interpreti di Bach, e stava seguendo un concerto diretto da Leonard Bernstein dedicato all'artista scomparso. Le musiche, ovviamente, erano di Bach e quando si concluse trionfalmente l'esecuzione, Ratzinger si rivolse al vescovo evangelico Hanselmann che gli sedeva accanto e con entusiasmo disse: «Chi ha ascoltato questo, sa che la fede è vera».

Von Balthasar

Se è dai genitori che Ratzinger ha acquisito la passione per la bellezza musicale, è nel confronto con Hans Urs von Balthasar che la bellezza diventerà uno dei temi che più affascineranno il futuro Benedetto XVI.

Poche persone sembrano aver avuto su Ratzinger un influsso paragonabile a quello che esercitò su di lui l'amicizia con Balthasar, nata negli anni Sessanta.

Non è difficile intuire i motivi di questo legame, se si guarda alle passioni dei due teologi: «Mozart è la mia stella polare» raccontava Balthasar, e per rafforzare il concetto un giorno regalò il proprio impianto stereo e tutti i dischi del compositore austriaco, spiegando di non averne più bisogno perché ormai li aveva memorizzati tutti alla perfezione.

L'uomo che Henri de Lubac – un altro futuro riferimento di Ratzinger – definì «forse la mente di maggior cultura dei nostri tempi», era nato a Lucerna, in Svizzera, nel 1905, in una famiglia la cui devozione non era molto diversa da quella del futuro papa. Quasi come colpito da un fulmine mentre si trovava nella Foresta Nera, Balthasar a trent'anni si sentì «chiamato» e decise di iniziare un noviziato con i gesuiti, che lo incamminò verso la vita religiosa. Già da tempo laureato a pieni voti, si immerse in studi che spaziavano su ogni aspetto della conoscenza umana.

Nei decenni successivi, divenne un autore sempre più stimato, realizzando oltre un migliaio tra libri e articoli. Al Concilio Vaticano II non fu invitato, ma negli anni successivi i riconoscimenti da parte dei papi, soprattutto Giovanni Paolo II, crebbero fino alla nomina a cardinale avvenuta nel 1988. Due giorni prima della cerimonia in cui avrebbe dovuto ricevere la porpora, però, Balthasar morì mentre si preparava a celebrare la messa del mattino. Il cardinale Ratzinger celebrò la messa funebre, riservando un'omelia commossa all'amico scomparso.

«Bellezza è la parola che deve esser detta per prima» ripeteva il teologo svizzero, in sintonia con il più giovane Ratzinger. E anche per Balthasar, la bellezza nasceva spesso da un pentagramma. Nel 1987, quando a Innsbruck ritirò il premio «Wolfgang Amadeus Mozart», raccontò: «La mia giovinezza era definita dalla musica. Come studente a Vienna, ero affascinato dagli ultimi romantici, Wagner, Strauss e soprattutto Mahler. Ma tutto ciò ebbe fine quando Mozart mi entrò negli orecchi. A oggi, non è più uscito».

Da questa passione comune, nascerà tra Ratzinger e Balthasar un legame decisivo negli anni successivi, in una Chiesa che sarebbe andata incontro a spaccature e scontri. Ma prima dovevano compiersi altre tappe, soprattutto quella del Concilio Vaticano II.

CAPITOLO 5

GLI ANNI DEL CONCILIO

Il professor Ratzinger

La fine degli anni Cinquanta vide il prestigio intellettuale di Joseph Ratzinger crescere senza soste. Il giovane docente mostrava una molteplicità di approcci alle tematiche teologiche che stavano al centro della sua ricerca.

Si andava formando la sua personalità di studioso, che molti anni dopo avrebbe descritto come quella di un seguace di sant'Agostino, delle sue riflessioni sul rapporto tra fede e ragione e del suo *Credo ut intelligam, intelligo ut credam* («Credo per capire e capisco per credere»). Ratzinger avrebbe detto di ritenersi in parte anche debitore di Platone, «nel senso che il ricordo di Dio è impiantato nell'uomo», ma avrebbe indicato soprattutto in autori come Tommaso Moro, John Henry Newman e Dietrich Bonhoeffer dei grandi modelli. L'insegnamento di san Benedetto, il modo in cui era diventato il protagonista di una nuova cultura cristiana nell'Europa percorsa dai barbari, era un altro punto di riferimento essenziale che si rafforzerà nel corso dei decenni, fino a spingerlo a presentarsi al mondo, da papa, proprio con il nome del santo patrono d'Europa.

Il 1959 fu un anno importante nella vita di del professor Ratzinger. Dalla Baviera, la sua attività e la sua notorietà si estesero al resto della Germania e arrivò un nuovo incarico: una cattedra a Bonn.

A Monaco, era nata una profonda amicizia tra Ratzinger e Hubert Luthe, all'epoca segretario dell'arcivescovo di Colonia, il cardinale Josef Frings. Fu attraverso Luthe che il cardinale cominciò a scoprire e ad apprezzare il lavoro del giovane teologo e la stima nei suoi confronti aprì a Ratzinger le porte dell'università dell'allora capitale della Germania occidentale, dove insegnerà teologia fondamentale dal 1959 al 1963. Come i suoi colleghi di allora ricorderanno dopo l'elezione a papa, il punto centrale dell'insegnamento di Ratzinger all'epoca era «che Dio ha rivelato se stesso in Gesù Cristo».

A Bonn, visse prima al Collegio Albertinum, poi si trasferì in una casa privata a Bad Godesberg, in Wurzerstrasse 11.

È in questo periodo che Ratzinger cominciò a porre le basi del primo libro che gli darà ampia notorietà nel mondo cattolico: *Introduzione al cristianesimo*, una raccolta delle sue lezioni universitarie sulla «professione di fede apostolica» che verrà pubblicata nel 1968. Nell'atmosfera universitaria di Bonn, Ratzinger proponeva lezioni – poi raccolte nel volume – che mettevano al centro la questione di Dio e di Cristo, per arrivare alla dimostrazione che il luogo della fede è la Chiesa cattolica. Una spiegazione per l'uomo moderno del Credo degli Apostoli, per un'interpretazione contemporanea del cristianesimo. Le verità fondamentali si univano, nel libro, a una profonda riflessione spirituale accompagnata da una conoscenza delle Scritture e della storia della teologia in cui Ratzinger già si dimostrava un maestro. Ma accanto al solido impianto accademico, trovavano posto la capacità di spiegare la fede all'uomo comune e anche un sottile umorismo, contrastanti con l'immagine rigida che accompagnerà Ratzinger negli anni fino al papato.

Introduzione al cristianesimo ha avuto effetti profondi nel dibattito cattolico internazionale, ma anche nella conversione personale di uomini e donne in tutto il mondo. Racconta monsignor Lorenzo Albacete, professore di teologia al Seminario St. Joseph di New York, scrittore ed editorialista molto apprezzato negli Stati Uniti, che conosce bene e di persona Benedetto XVI: «La prima volta che ho sentito parlare di Joseph Ratzinger fu nel 1968, l'anno del grande tumulto. Ero un giovane e irruento scienziato cattolico, che si trovava all'improvviso circondato da persone che si meravigliavano del fatto che potessi essere un buon scienziato e nello stesso tempo avessi la pretesa di credere nella trascendenza. Non avevo mai avuto una buona risposta alle loro domande e sapevo che era necessario far emergere una risposta intelligente a queste obiezioni. Cominciai a cercare testi che mi potessero aiutare in questo compito, e trovai il libro di Ratzinger, *Introduzione al cristianesimo*. Quel libro cambiò la mia vita. Era come guardare al cristianesimo per la prima volta, con occhi nuovi. Ratzinger ti invitava in pratica a far terra bruciata di quello che pensavi di sapere del cristianesimo e a dare uno sguardo nuovo, che ripartisse da zero».

Nel libro, Ratzinger partiva dal Credo per analizzare i fondamenti stessi del messaggio cristiano, cominciando da Dio Padre per passare alla figura di Gesù Cristo e infine alla Trinità. Il tutto offrendo continuamente una proposta dell'attualità del messaggio cristiano per l'uomo moderno, nell'ambito della Chiesa.

Ma se le basi per l'*Introduzione* furono poste negli anni di Bonn, doveva ancora passare molto tempo prima che il libro vedesse la luce. In mezzo, per Ratzinger, c'era l'esperienza esaltante della partecipazione al Concilio.

Verso il Vaticano II

Joseph Ratzinger arrivava alla soglia degli anni Sessanta con alle spalle l'esperienza diretta di un totalitarismo e quella di un altro totalitarismo ancora assai presente. Negli anni di Hitler, aveva avuto la possibilità di toccare con mano la capacità dell'uomo di distorcere la verità e aveva visto le conseguenze che la menzogna poteva provocare: lo sterminio degli ebrei, le follie delle ricerche scientifiche del Terzo Reich, il mito della razza ariana.

Ma, dopo la caduta del regime nazista, Ratzinger si trovava a vivere in una Germania divisa in due, dove amici e colleghi cattolici rimasti nell'Est erano costretti a sperimentare le imposizioni di un altro totalitarismo, quello comunista. L'effetto di questa realtà sulle sue riflessioni era una sempre maggiore consapevolezza di come la Chiesa fosse qualcosa «d'altro», chiamata a resistere alle correnti del momento e a restare saldamente ancorata alla propria tradizione, ai fondamenti della fede. In una parola: a Cristo.

Non erano certo per lui convinzioni nuove. In fondo, si trattava di restare fedele all'insegnamento di papà Josef, alla fede semplice di mamma Maria, alla loro «profonda bontà che significa anche capacità di dire «no", perché una bontà che lascia correre tutto non fa bene all'altro». Per Ratzinger, diventava più chiaro come, se voleva proteggere la libertà dell'uomo e sfuggire ai totalitarismi, la Chiesa dovesse proporre alternative alla cultura dominante, ancorarsi alle proprie verità assolute.

I genitori di Ratzinger, così importanti nel forgiare il carattere del futuro papa, in quel periodo vennero a mancare. Josef Ratzinger, l'ex poliziotto bavarese, morì il 23 agosto 1959. Quattro anni dopo, il 16 dicembre 1963, fu la volta di mamma Maria.

Figlia di una coppia di contadini della provincia di Bolzano, Anton Peintner e Maria Taubner, la mamma di papa Benedetto XVI era nata l'8 gennaio 1884 in una casetta vicina a un mulino a Rio Pusteria, in Alto Adige. I Peintner persero la casa in un'alluvione e decisero di trasferirsi in Baviera per cercar fortuna. Ma le radici in Pusteria sono rimaste nel cuore di Ratzinger, che nel corso degli anni ha fatto visita più volte alle tombe locali degli antenati del ramo materno.

La scomparsa dei genitori fece diventare ancora più solido il legame e l'affetto tra i tre fratelli Ratzinger, particolarmente tra Joseph e la sorella Maria. Ma le loro strade si erano divise ed era evidente che il più giovane dei figli di Josef e Maria stava decollando verso una carriera che lo avrebbe portato lontano.

La Germania in cui il futuro papa si stava facendo conoscere come teologo era quella di Konrad Adenauer, il primo cancelliere della Repubblica, che rimase al potere dal 1949 al 1963. La sua fu un'era di moderatismo politico in cui la Germania occidentale cominciò a riprendere il proprio posto in Europa, cercando di cancellare l'onta del nazismo e attuando una dura contrapposizione all'Unione Sovietica e al suo satellite, la Germania dell'Est.

In Vaticano, scompariva Pio XII e il 28 ottobre 1958 gli succedeva a settantasette anni il cardinale Angelo Roncalli, con il nome di papa Giovanni XXIII. L'età indusse molti a ritenere fin da subito il suo un pontificato di transizione, un'idea che sarà destinata a ripetersi nella primavera del 2005, quando a succedere a Giovanni Paolo II sarà chiamato il settantottenne Ratzinger. Ma fin dall'inizio, papa Roncalli lasciò capire che avrebbe impresso il proprio segno nella Chiesa e nella storia.

Tra le molteplici eredità lasciate da Giovanni XXIII, la più significativa fu senza dubbio la convocazione del Concilio Vaticano II. L'annuncio fu dato a Roma nella basilica di San Paolo il 25 aprile 1959. La decisione era stata presa in prima persona dal papa, dopo consultazioni con una serie di collaboratori, tra cui soprattutto il segretario di Stato Tardini.

Quello che il papa chiedeva ai protagonisti del Concilio, che si aprì a Roma l'11 ottobre 1962, non era definire nuove verità per la Chiesa, ma individuare le modalità per esporre la dottrina tradizionale così da farla andare incontro alla sensibilità moderna e al contesto storico. L'aggiornamento doveva riguardare, nelle intenzioni di Giovanni XXIII, tutta la vita della Chiesa, ma una particolare attenzione era richiesta sui temi della misericordia e del dialogo con il mondo: non si trattava di condannare o di proporre un «muro contro muro» ecclesiastico ai vari aspetti della modernità, ma di abbracciare gli uomini con un linguaggio e dei gesti che fossero i più vicini possibili alla sensibilità del XX secolo. Nel contesto del dialogo, era prevista un'apertura particolare anche alle altre confessioni cristiane, invitate a partecipare al Concilio.

Papa Roncalli impresse ai lavori conciliari il ritmo, li aprì alle voci più diverse e fece capire di volere deliberazioni, non solo parole. Ma non riuscì a vederne la fine, perché morì il 3 giugno 1963. Oltre al Concilio ormai avviato, si lasciava alle spalle un'ultima enciclica, la *Pacem in terris* (1963), nella quale faceva sentire il suo grido per la pace in un momento in cui sembrava come non mai a rischio. L'autunno del 1962 era stato segnato dalla crisi dei missili cubani, nella quale il papa era intervenuto con un forte messaggio in giorni in cui era altissimo il pericolo di un confronto nucleare tra gli Stati Uniti e l'Unione Sovietica. Nel 1961 a Berlino era stato eretto il Muro che per anni avrebbe dimostrato, fisicamente, quanto fosse spaccata l'Europa.

Giovanni XXIII se ne andava in una fase storica piena di inquietudini, che cinque mesi dopo la sua morte sarebbero state ulteriormente alimentate dall'assassinio del presidente americano John F. Kennedy.

Il peritus

Il nuovo papa fu eletto il 21 giugno 1963: Giovanni Battista Montini, che scelse il nome di Paolo VI. Il suo primo messaggio al mondo conteneva l'impegno a proseguire nell'opera di Giovanni XXIII.

Già nei primi anni del suo papato, una delle questioni centrali che dovette affrontare fu quella della richiesta che arrivava alla Santa Sede dalla periferia di una maggiore collegialità, di un coinvolgimento maggiore dei vescovi nella gestione della Chiesa. Un tema che emergeva anche nella discussione del Concilio, insieme alle indicazioni, spesso provocatorie e ricche di domanda di cambiamento, che arrivavano da alcuni protagonisti delle assemblee conciliari.

Paolo VI portò a compimento il Concilio, che venne chiuso nel dicembre 1965, dopo lavori in quattro sessioni ai quali avevano partecipato oltre 2200 vescovi, circa 300 esperti e un gran numero di osservatori delle altre Chiese. Paolo VI diramò, come esito del Concilio, quattro costituzioni: sulla Chiesa, sulla rivelazione, sulla liturgia e sui rapporti tra Chiesa e mondo contemporaneo. Papa Montini decise una serie di passi che dovevano andare in direzione della trasformazione interna della Chiesa chiesta dal Concilio. Tra i più significativi, furono la creazione di un sinodo episcopale che assistesse il papa nel suo lavoro e al quale partecipassero rappresentanze di vescovi di tutto il mondo, l'istituzione delle conferenze episcopali nazionali, la formazione di consigli presbiteriali e pastorali nelle diocesi e la trasformazione del vecchio Sant'Uffizio in Congregazione per la dottrina della fede.

Il viaggio a Roma negli anni del Concilio dell'uomo che in seguito avrebbe guidato quest'ultima istituzione, avvenne grazie a una scelta del cardinale Frings di Colonia, che già aveva appoggiato la sua cattedra a Bonn. Nella prima parte della vita di Ratzinger, la figura del cardinale Frings ha avuto senza dubbio un peso paragonabile a quello rivestito dal cardinale di Monaco Faulhaber.

Quest'ultimo non solo era stato colui che aveva ordinato sacerdoti i fratelli Georg e Joseph, ma a quanto pare era stato in qualche modo anche all'origine della scelta del futuro papa di dedicarsi alla vita della Chiesa. Secondo quanto ha raccontato Georg Ratzinger, un giorno del 1932 una splendida limousine si presentò nel villaggio bavarese dove vivevano e ne scese il cardinale Faulhaber, avvolto nelle sue vesti di arcivescovo, una figura d'uomo senza dubbio affascinante e insolita per gli abitanti di un piccolo centro rurale. Joseph, che aveva cinque anni, ne rimase conquistato: «Venne a casa» stando al fratello Georg «e quella sera disse a nostro padre: "Voglio essere un cardinale". Non era stata tanto l'auto, perché non eravamo il genere di persone che si lasciavano colpire dalla tecnologia. Era il modo in cui appariva il cardinale, il suo portamento, le vesti che indossava, tutto aveva fatto una grande impressione su di lui». Quel giorno, secondo il fratello del papa, il piccolo Joseph mise da parte l'iniziale proposito di diventare, da grande, un pittore per concentrarsi invece sulla «carriera» cardinalizia.

Poco poteva sapere, il bambino bavarese, delle enormi

difficoltà che Faulhaber cominciava ad avere in quegli anni nel cercare di conciliare il suo ruolo di arcivescovo in Baviera con l'ascesa dei nazisti, che nella Chiesa cattolica vedevano un avversario pericoloso. I giudizi storici sul cardinale di Monaco sono contrastanti, ma in molti hanno smentito la sua apparente scarsa resistenza alle idee di Hitler.

Fu invece Ratzinger ad affascinare, con il suo intelletto, il cardinale Frings, che quando si apprestò a preparare la propria delegazione per recarsi al Concilio, pensò subito al brillante professore universitario come proprio principale *peritus*, o consulente. C'erano quindi le parole del trentacinquenne Ratzinger nelle vesti di autore di testi, dietro le tesi presentate nel 1962 da Frings alla curia romana, comprese aspre critiche al Sant'Uffizio, accusato di essere «fonte di scandalo». Al Concilio erano presenti cardinali potenti come Ottaviani e Siri e anche il cardinal Montini, che da lì a breve sarebbe diventato papa. Il futuro Paolo VI rimase molto colpito durante i lavori del Concilio dalle proposte di Ratzinger e dall'autorevolezza che mostrava, nonostante la giovane età. Le sue erano talvolta tesi anche ardite per essere proposte a Roma, come quando Ratzinger scrisse che «Dio, attraverso l'intero processo storico, non è mai stato dalla parte delle istituzioni, ma sempre dalla parte di chi soffre, dei perseguitati».

Sarà proprio Montini, anni dopo, a riconoscere lo spessore di Ratzinger, prima nominandolo arcivescovo di Monaco, poi cardinale.

Gli anni del Concilio segnarono la definitiva scoperta delle qualità del professor Ratzinger all'interno dell'ambiente ecclesiastico e accademico internazionale. In breve tempo, alla cattedra a Bonn se ne aggiunse un'altra a Münster, dove terrà l'incarico dal 1963 al 1966, senza rinunciare a quello nella capitale federale tedesca. Nel 1966 fu la volta della chiamata a un ulteriore incarico di prestigio, quello all'Università di Tubinga.

Ma la vita di Ratzinger stava per imboccare una svolta.

Capitolo 6

IL SESSANTOTTO

Tubinga

La chiamano «la città dei dotti» e la fama è senza dubbio meritata. L'elenco dei nomi importanti di chi vi ha studiato è lungo: basterà ricordare i poeti Hölderlin, Hauff e Mörike e i filosofi Hegel e Schelling. Tubinga è da secoli uno dei maggiori centri universitari della Germania e ancora oggi, in una città relativamente piccola con ottantacinquemila abitanti, la popolazione studentesca supera le ventimila persone. Una facoltà cattolica convive da lungo tempo, senza tensioni ma nel dialogo accademico, con le istituzioni protestanti del campus.

L'epicentro della vita di Tubinga è l'Università Eberhard-Karls, la cui storia affonda le radici nel passato. Nel 1477 fu fondata da Eberhard im Bart, conte e poi duca del Württemberg, che decise di creare un centro universitario nella Germania sud-occidentale, non lontano da Stoccarda, perché ispirato da un pellegrinaggio a Gerusalemme compiuto nel 1468. Al ritorno dalla Terrasanta, il conte aveva scelto un nuovo motto di vita, «Ci proverò», e aveva deciso che da quel momento la sua vocazione sarebbe stata aiutare giovani «di ogni angolo del mondo» a combattere ed estinguere «il fuoco pernicioso dell'umana ignoranza e della cecità».

Quando Joseph Ratzinger, trentanove anni, professore di teologia, arrivò a Tubinga, nella regione del Baden-Württemberg, restò affascinato dalla bellezza del luogo: il castello cinquecentesco di Hohentübingen, la chiesa gotica Stiftskirche, la torre di Hölderlin sul fiume Neckar, erano cibo per gli occhi e il cuore per un amante del bello come Ratzinger. Ma la gioia per il luogo dove era stato chiamato a insegnare durò poco.

A spingere affinché l'Università di Tubinga si assicurasse la brillante mente di Ratzinger era stato un suo collega svizzero che nella città-studio era arrivato già nel 1960, provenendo dalla Sorbona di Parigi, per salire sulla cattedra di teologia fondamentale: Hans Küng.

Più giovane di Ratzinger di un anno, Küng era già un astro nel mondo della teologia degli anni Sessanta. Papa Giovanni XXIII lo aveva chiamato a Roma come proprio *peritus* durante il Concilio e le sue idee avevano avuto un largo peso nei lavori conciliari. A Roma era nata l'amicizia e la stima con Ratzinger, che insieme a Küng, al domenicano fiammingo Edward Schillebeeckx e al gesuita Karl Rahner faceva parte ormai di un gruppetto di teologi «progressisti» che venivano seguiti con molta attenzione nell'ambiente ecclesiastico e soprattutto in quello universitario.

Il legame tra il futuro Benedetto XVI e Küng non lasciava trapelare niente di quelli che sarebbero stati i futuri, epici scontri tra i due. A Tubinga, nei primi anni della presenza di Ratzinger, era con ogni probabilità impossibile intuire i segnali dell'aspro confronto teologico degli anni successivi, che nel 1985 porterà Küng a etichettare l'ex amico con uno stereotipo a uso dei detrattori del teologo che sarebbe diventato papa: «Joseph Ratzinger» disse di lui Küng «è impaurito, e come il grande inquisitore di Dostoevskij non c'è niente di cui ha più paura della libertà».

Quando nell'aprile 2005 l'uomo che aveva paragonato al grande inquisitore si è affacciato su piazza San Pietro, di fronte alla folla che intonava cori da stadio con il suo nuovo nome – «Be-ne-detto! Be-ne-detto!» –, Küng non ha nascosto i suoi prevedibili sentimenti: «L'elezione del cardinale Ratzinger a papa è una delusione enorme per tutti coloro che speravano in un papa riformista e pastorale [...] Ma dobbiamo aspettare e vedere, perché l'esperienza dimostra che il papato, nella Chiesa cattolica di oggi, è una sfida tale che può cambiare chiunque: chi è entrato in conclave come cardinale progressista ne può emergere come papa conservatore... chi è entrato come cardinale conservatore, potrebbe emergere come papa progressista».

Su queste categorie sempre abbastanza restrittive e opinabili – progressista e conservatore – si giocò per anni uno scontro tra fazioni del pensiero teologico che iniziò a esplodere proprio a Tubinga.

Ratzinger veniva catalogato nella colonna dei «progressisti» per la passione con cui professava la libertà teologica e per le critiche che aveva contribuito a portare all'apparato istituzionale della curia, a cui chiedeva maggiore apertura e sostegno alla libera espressione. Ma a guardare indietro alla storia personale del teologo bavarese, appariva abbastanza evidente che i suoi erano tutt'altro che inviti a una sorta di anarchia cattolica. Cristo restava il centro della sua riflessione e la Chiesa rimaneva il luogo della fede, come lo era stato nei suoi anni giovanili in mezzo all'odio nazista e come aveva continuato a essere in mezzo alle tensioni della Guerra fredda e al confronto con il blocco comunista che ancora spaccava in due la sua Germania.

Quando il clima, a Tubinga come nelle università di tutto il mondo, divenne quello rovente della protesta studentesca del 1968, Ratzinger non vi riconobbe alcuna di quelle istanze di cambiamento che aveva teorizzato.

La rivolta che penetrò anche nelle antiche e austere aule dell'università voluta dal conte Eberhard lo lasciò turbato, deluso, confuso. «Manifestazioni di ideologia brutale e crudele, tirannica»: così Ratzinger descriverà in seguito ciò che avveniva nell'ambiente universitario in cui si trovava a insegnare.

Riflessioni sulla contestazione

In Germania, gli studenti divennero i protagonisti della contestazione cominciata al di là della frontiera con il «maggio francese» e le università ribollirono ben presto di iniziative di protesta.

Ratzinger nel corso del tempo è tornato più volte su quegli anni, per commentarli in modo severo.

Nel 1999, parlando del fiorire di una serie di movimenti cattolici negli anni a cavallo del 1968, spiegò di aver personalmente incontrato proprio in quel periodo difficile queste realtà nuove e di aver avuto così «la gioia e la grazia di vedere giovani cristiani toccati dalla forza dello Spirito Santo. In un momento di fatica nel quale si parlava di "inverno della Chiesa"» aggiunse «lo Spirito Santo creava una nuova primavera. Era una risposta anche di fronte a due esperienze negative vissute in Germania: nel mondo accademico, dove la teologia si allontanava sempre più da una fede entusiasta, per essere totalmente uguale alle altre discipline, diventando così "freddamente scientifica", ridotta a fenomeno di oppressione della fede da parte di una ragione unilaterale; e nella Chiesa, dove era in atto una crescente burocratizzazione».

Sempre in quell'occasione, nel 1999, individuava nel periodo del '68 un momento le cui conseguenze continuavano a ripercuotersi. «Dopo il '68» spiegava «c'è stata un'esplosione di secolarismo che ha radicalizzato un processo in corso da duecento anni: il fondamento cristiano è diminuito. Pensiamo al fatto che fino a quarant'anni fa era impensabile una legislazione che trattasse un'unione omosessuale quasi come un matrimonio. Ora dobbiamo riformulare le nostre ragioni per arrivare di nuovo alla coscienza dell'uomo di oggi e dobbiamo accettare un conflitto di valori per cui dobbiamo difendere l'uomo, non solo la Chiesa, come ha scritto il papa in molte sue encicliche. Di fronte alla secolarizzazione, per essere contemporanei all'uomo di oggi non bisogna tuttavia perdere la contemporaneità con la Chiesa di tutti i tempi. [...] Nel nostro tempo notiamo una certa prevalenza di spirito protestante in senso culturale, perché la protesta contro il passato sembra essere moderna e rispondere meglio al presente. Per questo, da parte nostra, occorre far vedere che il cattolicesimo porta l'eredità del passato per il futuro, anche se lo fa controcorrente in questi tempi.»

Qualche anno prima, nel 1993, Ratzinger aveva ripreso il tema del '68 nel presentare una raccolta di scritti di don Luigi Giussani, fondatore del movimento Comunione e Liberazione (CL), una di quelle nuove realtà cattoliche cui amava riferirsi quando parlava della «gioia e la grazia di vedere giovani cristiani toccati dalla forza dello Spirito Santo» che aveva provato nel guardare ai movimenti nel pieno degli anni della contestazione. «Una tappa decisiva di questa lotta [di don Giussani] è stato il confronto con lo spirito dell'utopia» scriveva Ratzinger «cui costrinsero gli avvenimenti del 1968. Ricordiamo: il mondo migliore futuro divenne improvvisamente l'unico oggetto di fede. O meglio: non esisteva più alcun "oggetto di fede", bensì solo la proiezione di una speranza, la quale a sua volta significava azione. Anche i cristiani cessarono di parlare della redenzione mediante la croce, della resurrezione di Gesù Cristo e della nostra speranza nella vita eterna. Anch'essi parlavano ormai quasi solo della nuova società, della civiltà migliore che doveva nascere. L'utopia era diventata l'unico dogma che ispirava pensiero e azione.»

Per Ratzinger, era affascinante notare come nella Chiesa emergessero realtà, come i movimenti, che all'utopia contrapponevano la «presenza». «L'utopia onnidominante» sottolineava in quel testo del 1993 «viene smascherata come vuoto fantasma: fissandoci trasognati sul nulla perdiamo di vista la realtà. Il cristianesimo è presenza, il qui e ora del Signore, che ci sospinge nel qui e ora della fede e della vita di fede. E così diventa chiara la vera alternativa: il cristianesimo non è teoria, né moralismo, né ritualismo, bensì avvenimento, incontro con una presenza, con un Dio che è entrato nella storia e che continuamente vi entra.»

CAPITOLO 7

HANS, HENRI E JOSEPH

Ritorno in Baviera

Tubinga non poteva restare a lungo il luogo dove Ratzinger esercitava la sua attività accademica. Il suo profilo intellettuale, il carattere unanimemente descritto come riservato e gentile, erano quanto di più lontano esistesse dal clima rovente della contestazione. Di fronte all'«utopia dominante», Ratzinger decise di prendere le distanze. Non solo da Tubinga, ma anche dal circolo di teologi del quale veniva considerato parte, quello dei «progressisti» Küng, Schillebeeckx, Rahner.

Non si riconosceva più nelle loro idee, sentiva che era stato tradito lo spirito del Concilio Vaticano II, che nello sforzo di adeguarsi all'uomo moderno, il pensiero cattolico stava compromettendo i propri fondamenti. E questo, più di ogni altro, non lo poteva assolutamente accettare.

Durante le sue lezioni, l'aula magna era stracolma di studenti che lo ascoltavano parlare di estetica della liturgia e del primato papale nella Chiesa. I giovani, che lo avevano soprannominato «Goldmund» («bocca d'oro») per la sua eloquenza, trovavano affascinante la sua impostazione, ma scomode le sue conclusioni. Era sempre più isolato anche a livello accademico.

Nel 1969, Ratzinger abbandonò l'insegnamento a Tubinga per tornare in Baviera. A Küng, che era stato suo amico e sostenitore e che lo esortava a scendere a patti (o a compromessi) con gli studenti che affollavano le sue lezioni, ma lo contestavano duramente, Ratzinger diede l'annuncio dell'addio con una lettera. A succedergli a Tubinga fu chiamato Walter Kasper, che in seguito sarebbe diventato anch'egli cardinale e uno degli elettori di Benedetto XVI.

Ad accogliere Ratzinger fu invece l'Università di Ratisbona e nel trasferimento dalla piccola Tubinga di certo il suo senso estetico fu gratificato.

Ratisbona è il gioiello medievale della Germania e la sua posizione, affacciata sul Danubio in una delle zone più pittoresche della Baviera, ha ispirato artisti per secoli. «Ratisbona è collocata in modo così bello che la sua area era destinata ad attrarre una città» disse nel 1786 uno dei giganti della letteratura tedesca, Johann Wolfgang von Goethe, che ne era innamorato. Nella città su cui svettava la grande cattedrale di San Pietro, Ratzinger si trovò di nuovo immerso nel clima confortevole della sua Baviera, arricchito qui dalle testimonianze di una storia che risaliva indietro fino all'epoca dei romani. Non mancavano poi, a Ratisbona, spunti per tornare a riflettere sul dramma dell'Olocausto, che aveva colpito così profondamente la regione dove era nato il futuro papa: è qui che aveva vissuto gran parte della sua vita Oskar Schindler, le cui vicissitudini diverranno note al grande pubblico internazionale nel 1993 grazie al film di Steven Spielberg, *Schindler's List*.

A Ratisbona, Ratzinger ottenne la cattedra di dogmatica e storia dei dogmi e resterà legato per gli anni successivi all'università locale – ne diventerà vicepreside – anche quando inizierà a ricoprire alti incarichi ecclesiastici. A testimoniare il suo attaccamento alla città, è anche la decisione di Ratzinger di far costruire qui una casa nel 1970. Una scelta insolita per il futuro Benedetto XVI, che ha trascorso la propria vita girando alloggi per docenti, sedi vescovili o appartamenti della curia romana.

Abituato alla vita dello studioso itinerante e ai molti cambi di residenza, non appena eletto papa ha scelto per esempio di non trasferirsi subito nella residenza papale, né di spostarsi in un edificio dentro la Città del Vaticano, la Torre di San Giovanni, tradizionalmente destinato al neoeletto pontefice in attesa della preparazione del suo appartamento nel palazzo apostolico. Ratzinger ha preferito invece restare nella casa Santa Marta, l'hotel nel quale durante il conclave per l'elezione del successore di Giovanni Paolo II era stato «sequestrato» con gli altri 114 cardinali che lo hanno poi scelto come Santo Padre. L'atmosfera un po' provvisoria, da albergo, era forse quella più vicina alle abitudini dell'ex professore di teologia.

A Ratisbona, invece, Ratzinger si stabilisce in una casa «vera». Un'abitazione semplice in una quieta strada di periferia, con un giardino recintato nel quale spiccavano cespugli di rose e due statue: una della Vergine Maria, l'altra di un gatto, che pare essere il suo animale domestico preferito. Ratzinger vi vivrà fino al 1977, quando papa Paolo VI lo chiamerà a rivestire l'abito di arcivescovo di Monaco e Frisinga che lo aveva tanto impressionato da bambino, quando aveva visto per la prima volta il cardinale Faulhaber. Ma continuerà a tornarvi negli anni successivi per periodi saltuari, anche quando la sua vita si sposterà definitivamente a Roma. Il quartiere ha festeggiato quando Ratzinger è stato eletto papa, e i vicini di casa hanno raccontato il loro legame con quel residente così discreto, ma che quando capitava a Ratisbona accettava spesso i loro inviti a cena.

«Una volta» ha raccontato Rupert Hafbauer, la cui casa affianca quella del papa «è venuto con noi a visitare il club degli apicoltori, di cui io sono membro, e si è incantato a osservare le api. A un certo punto, il cardinale ha indicato l'ape regina e ha detto: "Guardi il potere delle femmine nella società!".»

A Ratisbona, Ratzinger cominciò a ritrovare parte della serenità perduta nell'esperienza del '68 a Tubinga. Ma non era certo nel carattere di uomo destinato a diventare il prefetto della Congregazione per la dottrina della fede stare in disparte a osservare quello che riteneva un massacro dell'insegnamento della tradizione cristiana. Ben presto, con alcuni amici, Ratzinger organizzò una controffensiva teologica.

«*Communio*»

Il legame e la stima di Ratzinger per von Balthasar si erano rafforzati in quegli anni tanto da portare il futuro papa a considerare una seria perdita per la Chiesa il fatto che al Concilio non fossero state introdotte le idee del suo amico teologo. Balthasar da parte sua sentiva l'esigenza di dar vita a uno strumento che mettesse in contatto le varie personalità che non si riconoscevano nelle idee dominanti in quegli anni nel mondo cattolico e che permettesse di far conoscere su scala internazionale le loro riflessioni.

Anche se non si trattava certo di una «guerra di religione», era chiaro che l'obiettivo era quello di contrastare le proposte che venivano diffuse da una rivista, «Concilium», che ruotava intorno alla figura di Küng e che in precedenza aveva attratto anche Ratzinger, ma che ora sembrava incarnare quello che lui, Balthasar e altri vedevano come una pericolosa deviazione dall'insegnamento del Vaticano II, mirata a ridurre l'autorità della Santa Sede e a proporre una vita «assembleare» della Chiesa più simile agli ideali sessantottini della contestazione, che al modello proposto nei duemila anni di storia precedenti. Ratzinger aveva avuto ed espresso, anche nel Concilio, le sue riserve sull'istituzione ecclesiastica, ma non era questo l'esito a cui pensava.

Nel 1969, a margine dei lavori della prima sessione della Commissione teologica internazionale, un gruppetto di teologi sempre più uniti mise le basi per una nuova rivista. Oltre a Balthasar, l'anima del gruppo, e a Ratzinger, il nome più in vista era quello del gesuita francese Henri de Lubac, un'altra figura che, come Balthasar, riceverà in futuro enormi attestati di stima da parte di papa Giovanni Paolo II, dal quale il 2 febbraio 1983 verrà nominato cardinale.

Conviene lasciare a Ratzinger – nonostante il linguaggio un po' da «addetti ai lavori» – il compito di raccontare quali furono le premesse della loro iniziativa, così come l'allora cardinale le illustrò nel 2002 in occasione di una conferenza di vescovi italiani:

Quando con pochi amici – in particolare Henri de Lubac, Hans Urs von Balthasar, Louis Bouyer, Jorge Medina – ho avuto l'idea di fondare una rivista nella quale intendevamo approfondire e sviluppare l'eredità del Concilio, ci mettemmo alla ricerca di un nome appropriato, una sola parola, che potesse pienamente trasmettere lo scopo di questa pubblicazione. Nell'ultimo anno del Concilio Vaticano II era già stata avviata una rivista che doveva servire come voce permanente del Concilio e del suo spirito, che si chiamava «Concilium». Hans Küng pensava di aver scoperto un'equivalenza tra le parole *ekklesia* (Chiesa) e *concilium*. La radice di entrambi i termini era la parola greca *kalein* (chiamare), con la prima parola, *ekklesia*, che significava convocare e la seconda, *concilium*, riunire insieme. Quindi entrambe le parole essenzialmente significavano la stessa cosa. Per una tale relazione etimologica si poteva dire che i termini Chiesa e Concilio erano in qualche modo sinonimi e vedere la Chiesa per la sua vera natura come la continuazione del Concilio di Dio nel mondo. Perciò la Chiesa andava concepita in questo senso «conciliare» e «attualizzata» nella forma di un Concilio; e viceversa, il Concilio era visto come la realizzazione più intensa possibile di «Chiesa», la Chiesa nella sua forma più alta.

Negli anni che seguirono il Concilio per un certo tempo ho seguito questo concetto – la Chiesa come il Concilio permanente di Dio nel mondo – che sembrava a prima vista abbastanza illuminante. Le conseguenze pratiche di questo concetto non dovrebbero essere trascurate e la loro attrattiva è immediata. Nello stesso tempo, nonostante fossi giunto alla conclusione che la visione di Hans Küng conteneva qualcosa di vero e di serio, avevo anche notato che aveva bisogno di considerevoli correzioni.

In un articolo pubblicato nel 1992, Ratzinger fu ancora più esplicito, nello spiegare quale fosse la visione di Balthasar di ciò che stava emergendo dal dibattito postconciliare. Il teologo svizzero comprendeva la grandezza dei testi conciliari, ma non gli sfuggivano le modalità con cui molti «uomini dalle menti piccole» li affrontavano:

> Le loro richieste corrispondevano al gusto dei loro contemporanei e sembravano eccitanti perché la gente aveva in precedenza dato per assodato che queste opinioni erano inconciliabili con la fede della Chiesa. Origene una volta disse: «Gli eretici pensano più profondamente, ma non con maggiore verità». Per il periodo postconciliare, credo che dobbiamo modificare leggermente l'affermazione e dire: «Il loro pensiero appare più interessante, ma a costo della verità». [...] Senza aver prodotto niente di genuinamente nuovo, costoro potevano fingere di essere interessanti a basso prezzo. Vendevano beni adatti al vecchio mercatino delle pulci liberale come se fossero nuova teologia cattolica.

Affascinati dalla prospettiva di contrastare questa mentalità trasformandosi in editori, Hans, Henri, Joseph e gli altri amici del gruppo si misero al lavoro per far partire dal niente una rivista internazionale, facendo i conti con tutta una serie di problemi assai più materiali e terreni dei contenuti di fede che intendevano discutere: trovare i finanziamenti, individuare editori locali disponibili a pubblicare la rivista in varie lingue, creare una trama di rapporti che permettesse di diffondere lo strumento negli ambienti cattolici più sensibili alla loro proposta, convincere autori ad aderire all'iniziativa e così via.

«Due eventi» raccontò in seguito Ratzinger «furono decisivi perché il progetto decollasse. Balthasar contattò il movimento Comunione e Liberazione, che era stato creato in Italia e stava cominciando a fiorire. I giovani che si riunivano nella comunità fondata da don Giussani mostrarono la vitalità, la volontà di assumersi i rischi e il coraggio di fede che erano necessari. Perciò, il partner italiano era stato trovato. In Germania, l'editore Kösel aveva deciso di abbandonare la rivista culturale tradizionale "Hochland" per rimpiazzarla con una che avrebbe avuto vita breve, "Neues Hochland". La parola "nuova" si riferiva a un deciso cambio di direzione. L'ultimo direttore di "Hochland", Franz Greiner, era pronto a offrire la sua esperienza e il suo lavoro alla nuova rivista. Lo fece con grande generosità e fondò anche una casa editrice per assicurare l'indipendenza del progetto. Di conseguenza, non solo rifiutò ogni compenso per sé, ma mise anche a disposizione i suoi mezzi personali. Senza di lui, far partire la rivista sarebbe stato impossibile.»

Le edizioni in lingua italiana (affidata all'editore Jaca Book) e tedesca erano quindi assicurate. Uno dei passi decisivi che il gruppetto riunito intorno a Balthasar doveva compiere, era la scelta del nome da dare al nuovo strumento. La scelta cadde su «Communio».

«Non ricordo più esattamente come il nome "Communio" entrò all'inizio nella conversazione» raccontò Ratzinger «ma credo che sia avvenuto per il contatto con Comunione e Liberazione. La parola apparve d'improvviso, come l'illuminazione di una stanza. Esprimeva davvero tutto ciò che volevamo dire.»

La parola «comunione» non faceva parte del frasario di quel periodo postconciliare, che ruotava invece soprattutto intorno al concetto di «popolo di Dio», sempre più inteso nel senso di sovranità popolare, come un diritto a governare in modo democratico la Chiesa. Secondo i promotori di «Communio», Dio restava nella discussione, ma si perdeva la consapevolezza dell'appartenenza alla sua Chiesa. Alla fine, per Ratzinger e gli altri, a prevalere nel concetto del «popolo di Dio» era il popolo, mentre a Dio toccava un posto in seconda fila.

Parlare di *communio* significava invece qualcosa di diverso. Non era un termine sociologico, ma teologico. Aveva a che fare con il concetto cristiano della comunione tra Dio e l'uomo, che viene prima della comunione tra i fedeli. E su un tema del genere, è senza dubbio meglio lasciare che siano ancora una volta le parole di Ratzinger a spiegare:

In primo luogo, dobbiamo ricordare che la «comunione» tra uomini e donne è possibile quando sono abbracciati da un terzo elemento. In altre parole, la natura umana comune crea la vera possibilità che possiamo comunicare con un altro. Non siamo solo natura, ma anche persone e in modo tale che ogni persona rappresenta un modo unico di essere umano, diverso da ogni altro. Quindi, la natura da sola non è sufficiente a comunicare la sensibilità interiore delle persone. Se vogliamo tracciare un'altra distinzione tra individualità e personalità, potremmo dire che l'individualità divide e l'essere una persona invece apre. Essere una persona è per natura essere in rapporto. Ma perché apre? Perché sia nella sua profondità sia nelle più alte aspirazioni, essere una persona va oltre i propri confini, verso un «qualcosa» più grande e universale e anche verso un «qualcuno» più grande e universale. Il terzo che abbraccia tutto può unire solo quando è più grande e più elevato degli individui. D'altra parte, il terzo è esso stesso interno a ciascun individuo, perché tocca ognuno dal di dentro. Agostino una volta lo ha descritto come «più elevato delle mie altezze, più intimo di quello che sono io a me stesso». Questo terzo, che in verità è il primo, lo chiamiamo Dio. Raggiungiamo noi stessi in lui. Attraverso lui e solo attraverso lui, comincia a esserci una *communio* che afferri le nostre profondità.

Come una sinfonia

«Communio» è oggi una federazione di riviste in diciassette lingue diverse. La sua versione internazionale in inglese viene pubblicata a Washington, sotto la direzione di David Schindler, secondo il quale, nell'ambiente del dibattito cattolico troppo spesso ridotto a schieramenti e a divisioni tra una o l'altra fazione, la rivista propone invece che a parlare sia «una sinfonia», composta dalle voci di autori di ogni genere. Un concetto che senza dubbio piace a papa Benedetto XVI, per via della passione verso Mozart.

L'elenco degli autori pubblicati in questi anni dà in effetti l'idea di un'orchestra ben affiatata. Oltre a Balthasar, Ratzinger e de Lubac, compare un gruppo composto da alcuni tra i più stimati pensatori cattolici americani attuali, come Richard John Neuhaus, George Weigel, Michael Novak, Lorenzo Albacete, Carl A. Anderson, Joseph Fessio. Tra le firme italiane, ci sono quelle di Massimo Cacciari, Giovanni Testori, Augusto Del Noce, Luigi Giussani e Chiara Lubich. Il pittore americano scomparso William Congdon e l'attuale guida di Comunione e Liberazione, Julian Carron, fanno parte dell'elenco, che comprende anche Madre Teresa e Aleksandr Solzhenitsyn.

«Communio» ha proposto o riproposto quelli che ha definito «pionieri del rinnovamento cattolico» come Bernanos, Blondel, Chesterton, Claudel, Dawson, Day, Delbrêl, Gilson, Péguy, Pieper, con un'attenzione particolare per un autore amato in modo speciale da Ratzinger: Romano Guardini.

Tra i collaboratori che hanno pubblicato sulla rivista, spicca anche un gruppo di cardinali che hanno partecipato all'elezione di Benedetto XVI, presumibilmente votando per Ratzinger (il voto e tutto ciò che avviene nel conclave, il luogo in cui la Chiesa cattolica sceglie la propria guida, sono segreti): l'austriaco Christoph Schönborn, l'italiano Angelo Scola, il francese Jean-Marie Lustiger, l'americano J. Francis Stafford, il canadese Marc Ouellet.

Una firma eccellente è quella di Karol Wojtyla, di cui sono stati pubblicati vari scritti, non solo del periodo papale. «I fondatori della rivista» disse Giovanni Paolo II in un messaggio a «Communio», basandosi sul loro intimo incontro con il Signore, «sapevano come armonizzare cultura e fede per poter annunciare il Vangelo. Hanno unito l'audacia del pensiero creativo con la più filiale e umile fedeltà alla Chiesa e alla sua tradizione vivente.»

«Quando ho appreso dell'elezione del cardinale Ratzinger a papa» racconta Schindler «ho provato una gioia profonda. La sua grandezza è visibile soprattutto nella sua umiltà e semplicità, doti racchiuse nel contesto di un'intelligenza acuta e di una grande capacità educativa. La gente sarà sorpresa dalla semplicità e dall'intelligenza di papa Benedetto XVI. Quest'uomo è davvero un dono che viene fatto alla Chiesa. E chi parla di un papa di transizione, evidentemente non lo conosce da vent'anni come lo conosco io.»

CAPITOLO 8

L'ARCIVESCOVO

Perché sono nella Chiesa

Rincuorato dalla condivisione, con un gruppo di amici teologi, delle riserve sulla mentalità che stava dominando nel mondo intellettuale cattolico, Ratzinger si lanciò in un'intensa attività culturale.

Alle lezioni a Ratisbona e al lavoro per far muovere i primi passi a «Communio», si accompagnavano conferenze e ricerche che continuavano a tenerlo sotto i riflettori nell'ambiente teologico. I suoi ritmi di produzione lasciavano impressionati coloro che gli stavano vicini. Il vescovo tedesco Engelbert Siebler, che collaborò con lui negli anni Settanta, ha ricordato che Ratzinger aveva l'abitudine «di dettare testi mentre percorreva su e giù una stanza, in continuazione, da una parte all'altra e alla fine si potevano stampare venti pagine dei suoi appunti senza un singolo errore: il modo in cui parlava era pronto per le stampe».

Nel 1973 ebbe una vasta risonanza un'arringa pronunciata da Ratzinger di fronte all'Accademia cattolica bavarese, sul tema *Perché io sono ancora nella Chiesa?*, nella quale affermò a chiare lettere: «Solo nella Chiesa è possibile essere cristiani e non accanto alla Chiesa». Un messaggio diretto, tra l'altro, a Küng e all'ambiente dei teologi progressisti da cui si era ormai completamente distaccato. Continuava a incontrarli nei circoli intellettuali, dove si confrontavano sui loro lavori accademici, e la distanza dei loro approcci era ormai visibile per tutti.

Le sue preoccupazioni per la strada imboccata dalla gran parte dei teologi verranno esplicitate anni dopo, nel celebre *Rapporto sulla fede*, un libro-intervista con Vittorio Messori: in quest'epoca storica «ogni teologo sembra voler essere "creativo". Ma il suo vero compito è approfondire il deposito comune della fede e aiutare a proclamarlo, non "crearlo"».

Ratzinger intendeva contrastare chi, nel mondo teologico, vedeva il dogma (un termine del linguaggio ecclesiastico usato per indicare un principio certo e una verità inconfutabile) «come un intollerabile camicia di forza, un assalto alla libertà del singolo studioso».

A suo avviso, invece, i dogmi della Chiesa non andavano visti come mattoni di un muro atto a impedire la visione dell'esterno, bensì come finestre che aprono lo sguardo verso l'infinito. Temi che riprenderà nel 1973 nel libro *Dogma e Rivelazione*, dove vennero raccolti saggi, meditazioni e omelie di Ratzinger dedicate alla pastorale, e che andrà ad allungare la già consistente bibliografia del futuro Benedetto XVI, sempre più autore di successo. Il suo libro precedente, il già citato *Introduzione al cristianesimo*, alla sua uscita nel 1968 aveva venduto in Germania cinquantamila copie in pochi mesi, meravigliando lo stesso Ratzinger che non si aspettava una reazione del genere.

Monaco e il conclave

Papa Paolo VI aveva continuato a tenere gli occhi puntati su Ratzinger, che aveva conosciuto quando, giovane teologo, aveva brillato nel Concilio Vaticano II, in un'epoca in cui il futuro pontefice era ancora solo il cardinale Montini.

Il papato di Paolo VI si trascinava stanco, per l'invecchiamento di Montini e per le difficoltà della Chiesa nel parlare all'uomo contemporaneo in un'epoca di tumulti quale quella vissuta negli anni Settanta soprattutto dall'Europa. L'ultima enciclica del papa, la *Humanae vitae*, risaliva ormai al 1968 ed era stata oggetto di così tante critiche da aver provocato scoraggiamento anche nel papa stesso. Era il documento con il quale per la prima volta la Chiesa interveniva sul tema della contraccezione artificiale, definendola un peccato in tutte le sue varie forme e ottenendo una reazione furiosa che diede il senso del distacco che si stava creando tra la proposta cattolica e la mentalità comune.

Il 24 marzo 1977, un anno e mezzo prima di morire, Paolo VI nominò Ratzinger arcivescovo di Monaco e Frisinga, facendone il primo sacerdote proveniente dalla diocesi ad assumerne la guida da oltre ottant'anni. Un bavarese diventava il pastore dei bavaresi. L'ordinazione episcopale avvenne il 28 maggio. Ma per Ratzinger era già aperta una «corsia preferenziale» che gli consentì di diventare cardinale con una impressionante rapidità: il 27 giugno 1977, il papa consegnava a Roma la berretta cardinalizia a Ratzinger. L'aula «Paolo VI» era piena di bavaresi, arrivati in massa da Monaco con lui per l'occasione. Aveva appena compiuto cinquant'anni.

Ratzinger non ha nascosto di essere rimasto stupito dalla velocità con cui avvenne la sua nomina. «Due o tre giorni dopo la mia consacrazione episcopale del 28 maggio» raccontò al mensile «30Giorni» «venni informato della mia nomina a cardinale, che quindi coincideva quasi con l'ordinazione sacramentale. Fu per me una grande sorpresa. Non so ancora darmi una spiegazione di tutto questo. So comunque che Paolo VI teneva presente il mio lavoro come teologo. Tanto che alcuni anni prima, forse nel 1975, mi aveva invitato a predicare gli esercizi spirituali in Vaticano. Ma non mi sentivo sufficientemente sicuro né del mio italiano né del mio francese per preparare e osare una tale avventura, e così dissi di no. Ma questa era una prova che il papa mi conosceva. Forse una qualche parte in questa storia potrebbe averla avuta monsignor Karl Rauber, allora stretto collaboratore del sostituto Giovanni Benelli. Comunque, sta di fatto, mi hanno detto, che di fronte alla terna per la nomina a Monaco e Frisinga, il papa avrebbe personalmente scelto la mia povertà.»

Per Joseph Ratzinger, che fin da quando aveva cinque anni sognava di diventare cardinale, e per di più arcivescovo nella sua Baviera, era un desiderio dell'infanzia che diventava realtà. Oltre a scegliere come proprio emblema l'orso di san Corbiniano, che era per lui una figura familiare fin dagli anni di studio a Frisinga – la città dove era diventato sacerdote –, Ratzinger decise il proprio motto, che lo avrebbe accompagnato nei decenni successivi come cardinale: «Cooperatori della Verità», una frase presa dalla Terza lettera di Giovanni del Nuovo Testamento.

Da Monaco, si recò più volte nell'anno successivo a Roma per incontrare il papa, ma la sua collaborazione con papa Montini durò poco.

La mattina del 6 agosto 1978, mentre si trovava in vacanza in Austria, Ratzinger fu informato che il Santo Padre si era sentito male e che le sue condizioni erano gravi. Chiamò a Monaco il vicario generale e gli chiese di invitare tutta la diocesi a pregare. Al ritorno da una breve gita in montagna, Ratzinger fu informato della sua morte.

Dopo aver scritto una lettera ai diocesani, Ratzinger partì per Roma, per partecipare ai funerali e poi a quello che è forse il più affascinante tra gli antichi riti della Chiesa cattolica: il conclave per eleggere un nuovo pontefice.

«Del funerale» raccontò Ratzinger a «30Giorni» «mi colpì l'assoluta semplicità della bara con il Vangelo posato sopra. Questa povertà, che il papa aveva voluto, mi aveva quasi scioccato. Mi impressionò anche la messa funebre celebrata dal cardinale Carlo Confalonieri, che essendo ultraottantenne, non avrebbe partecipato al conclave: fece un'omelia molto bella. Come bella fu quella pronunciata in un'altra messa dal cardinale Pericle Felici, che sottolineò come durante il funerale le pagine del Vangelo posto sopra la bara del papa fossero state sfogliate dal vento.» Una descrizione che impressiona per le similitudini con un'altra cerimonia funebre celebrata quasi ventisette anni dopo: quella per la morte di Giovanni Paolo II, nella quale sarà proprio il cardinale Ratzinger a rivestire il ruolo di celebrante.

Ratzinger era uno dei più giovani cardinali del conclave e, a suo dire, si limitò soprattutto ad ascoltare gli altri nelle discussioni che precedevano il voto, quelle chiacchierate informali a tavola nelle quali si rafforzano le alleanze e si conoscono meglio i «papabili». Peraltro, provenendo dall'ambiente intellettuale, conosceva assai meno di altri le gerarchie ecclesiastiche. C'è chi sostiene che in realtà il suo ruolo fu assai più attivo di quanto Ratzinger non abbia raccontato. Faceva parte di un gruppo di cardinali di lingua tedesca abbastanza affiatati tra loro e capaci di spostare molti voti: Joseph Schröffer, già prefetto dell'Educazione cattolica, Joseph Höffner di Colonia, l'arcivescovo di Vienna Franz König, Alfred Bengsch di Berlino e un paio di brasiliani di origine tedesca, Paulo Evaristo Arns e Aloísio Lorscheider.

L'uomo su cui si concentrarono ben presto le preferenze, Ratzinger lo aveva conosciuto nel 1977 durante una vacanza in montagna a Bressanone, in Alto Adige: era il patriarca di Venezia, Albino Luciani.

Il 26 agosto 1978, al secondo giorno di conclave, il mondo ricevette l'annuncio atteso: *Habemus papam.* Luciani si affacciò su piazza San Pietro per presentarsi come papa, con un nome insolito: Giovanni Paolo I.

Ratzinger raccontò di aver lasciato Roma molto felice per l'elezione di Luciani, perché era un uomo di grande «bontà e di una fede luminosa».

Nelle settimane successive, l'arcivescovo di Monaco si recò in Ecuador, per un gemellaggio con la Chiesa locale. Il 28 settembre 1978, un mese dopo l'elezione di Luciani, una notizia sconvolgente lo raggiunse mentre dormiva nella sede dell'arcivescovado di Quito: papa Luciani era morto. Doveva tornare a Roma, per un nuovo funerale e per un altro conclave, in una Chiesa turbata dall'aver perso in così poco tempo due guide.

Bisognava fare i conti non solo con considerazioni terrene, ma con qualcosa di più profondo. Per la Chiesa cattolica, ad agire dentro la Cappella Sistina durante un conclave non sono solo i cardinali, ma anche lo Spirito Santo che coopera con loro nella scelta del pontefice. Quale messaggio stava dunque mandando lo Spirito Santo con quella morte dopo soli trentatré giorni di pontificato? Forse che era stato compiuto un errore? O invece che era il momento di una svolta?

Nel cuore e nella mente dei cardinali, riuniti di nuovo insieme, si faceva più chiara l'idea che l'ipotesi giusta era probabilmente la seconda. «C'era bisogno di qualcosa di assolutamente nuovo» disse Ratzinger, ricordando i pensieri di quei giorni.

E una grande novità stava arrivando. Dall'Est.

CAPITOLO 9

DA MONACO A ROMA

Papa Wojtyla

Il 16 ottobre 1978, i cardinali riemersero dal conclave con una sorpresa straordinaria. L'uomo chiamato ad affacciarsi dalla loggia di piazza San Pietro vestito da papa era Karol Wojtyla, arcivescovo di Cracovia.

Il duecentosessantaquattresimo pontefice della Chiesa cattolica era il primo non italiano dopo 455 anni e proveniva dalla Polonia, cioè da quel blocco dei Paesi dell'Est comunista che ancora spaccava in due l'Europa e in particolare la Germania di Ratzinger. Un cardinale autorevole e coraggioso, che aveva a lungo sperimentato sulla propria pelle due totalitarismi, quello nazista e quello comunista. Un intellettuale cattolico raffinato. Un amante dell'arte, della poesia, del teatro: in una parola, della bellezza.

Gli ingredienti per farne un papa che «piaceva» a Ratzinger c'erano tutti. In seguito, lo stesso cardinale tedesco ricorderà più volte con affetto lo stato d'animo con cui visse quel momento. Nel 2003, in una cerimonia in occasione del venticinquesimo anniversario dell'elezione di Giovanni Paolo II, Ratzinger disse al Santo Padre: «Esattamente venticinque anni fa i cardinali riuniti nella Cappella Sistina la eleggevano all'ufficio di successore di san Pietro, e lei disse il suo "sì" alla grazia e al peso di tale ufficio. Venticinque anni fa, il protodiacono del Sacro Collegio, il cardinale Pericle Felici, annunciò solennemente alla folla in attesa in piazza San Pietro: *Habemus papam*. Venticinque anni fa, dalla Loggia delle Benedizioni, lei pronunciò per la prima volta la benedizione *Urbi et Orbi* e conquistò subito, con un discorso indimenticabile, i cuori dei romani, come anche i cuori delle tante persone che la seguivano e la ascoltavano in tutto il mondo. Lei allora disse di venire da un Paese lontano. Ma abbiamo subito percepito che la fede in Gesù Cristo che traspariva dalle sue parole e dalla sua persona superava qualsiasi distanza; che nella fede tutti eravamo vicini gli uni agli altri. Lei ci ha fatto sperimentare fin dal primo momento questa forza di Cristo che abbatte i confini e che crea pace e gioia».

Gli eventi dimostrarono in fretta come la stima tra il nuovo papa e l'arcivescovo di Monaco fosse reciproca.

Wojtyla conosceva Ratzinger fin dai tempi del Concilio Vaticano II, durante il quale il polacco era stato designato alla guida dell'arcidiocesi di Cracovia. Nel corso degli anni, il futuro Giovanni Paolo II aveva continuato a seguire con grande attenzione l'insegnamento teologico di Ratzinger e il suo ingresso nelle gerarchie ecclesiastiche, nel 1977, con la nomina prestigiosa di arcivescovo di Monaco, la seconda diocesi più importante della Germania dopo quella di Colonia.

Una volta diventato papa, Giovanni Paolo II iniziò quasi subito a fare tentativi per portare a Roma, al suo fianco, una mente brillante come quella di Ratzinger. Già nel 1980 gli propose la guida della Congregazione per l'educazione cattolica, ma il cardinale tedesco chiese e ottenne di poter restare ancora a Monaco, perché non voleva lasciare l'arcidiocesi così presto.

Wojtyla si convinse, a malincuore, ma mantenne il nome di Ratzinger in cima alla lista di quelli che voleva in Vaticano per aiutarlo nella colossale impresa di rianimare una Chiesa che appariva stanca, dopo i dibattiti degli anni Sessanta e Settanta e dopo il papato sempre meno incisivo di Paolo VI. Le basi del suo pensiero, Giovanni Paolo II le aveva chiarite subito, nel 1979, con la sua prima enciclica, la *Redemptor hominis*, che indicava quale sarebbe stato il punto di riferimento del suo papato: «Cristo centro del cosmo e della storia». Poi aveva cominciato a salire sugli aerei e a girare il mondo, denunciando la situazione della sua Polonia e incontrando folle enormi in ogni angolo della Terra. Neppure i colpi di pistola contro di lui in piazza San Pietro, il 13 maggio 1981, erano riusciti a frenarlo.

Il papa polacco era un torrente carico di energia. Era pronto a combattere su un doppio fronte – quello dei regimi totalitari dell'Est e delle ideologie che minavano la coscienza della civiltà occidentale – e aveva bisogno di un teologo come Ratzinger per mettere a punto le armi di una sfida planetaria.

Ma avrebbe dovuto aspettare ancora qualche tempo.

Il pastore

Abituato a stare nelle università e nei circoli culturali, Ratzinger a Monaco si trovò per la prima volta nelle vesti del pastore di una comunità e si diede subito da fare per mostrare di essere in grado di guidare una realtà complessa come una diocesi, nonostante avesse speso la propria vita a studiare teologia.

Paolo VI aveva compiuto un gesto singolare e coraggioso nel decidere di trasformare un professore universitario in arcivescovo e di inviarlo in una città di un milione e mezzo di abitanti, dove la comunità cattolica era stata guidata per sedici anni da un cardinale di grande carisma e capacità comunicative, Julius Dopfner. Ma Ratzinger si dimostrò all'altezza dell'incarico.

Dal 1977 alla fine del 1981, gli anni della sua presenza a Monaco, fu un vescovo attivo su molteplici fronti. La difesa della vita fu uno dei suoi cavalli di battaglia, con prese di posizione pubbliche sull'aborto e prediche che suscitavano ampia eco, ma anche molte polemiche. Servendosi delle sue basi teologiche, cercò di tradurre in un linguaggio semplice, ma denso di contenuti, le riflessioni già fatte negli anni passati sul rispetto della vita umana, compresa quella del nascituro. A suo avviso, in Germania l'aborto stava diventando un metodo di contraccezione: per questo non ebbe alcuna esitazione nel denunciare il fenomeno, con toni che anticipavano le sue future battaglie alla guida della Congregazione per la dottrina della fede.

L'arcivescovo Ratzinger scese anche in piazza, nelle manifestazioni di protesta contro ciò che avveniva in Polonia, dove il movimento dei lavoratori Solidarnosc era sempre più sotto attacco.

Il dialogo ecumenico era tema di dibattito, grazie anche alla conoscenza che aveva degli autori protestanti e alla stima che nutriva per molti di loro. Abituato a frequentare università dove cattolici e protestanti trovavano occasioni continue di dialogo sulla teologia, si impegnò per un ecumenismo «senza perdere la propria identità».

L'attività pastorale di Ratzinger si estese fino all'America Latina, con un gemellaggio con i cattolici dell'Ecuador e con grandi e importanti raccolte di somme da inviare alle comunità e ai missionari impegnati nel continente americano.

Anche con la comunità ebraica locale, di cui conosceva le persecuzioni subite ai tempi del nazismo, si stabilì rapidamente un rapporto di stima, alimentato da visite ai reciproci luoghi di culto. Estese il dialogo anche ai non credenti, per i quali organizzò un ciclo di incontri in cui non si sottraeva neppure di fronte a domande che sfioravano la provocazione.

Ma uno degli aspetti forse più importanti della sua esperienza di arcivescovo fu il rapporto con i giovani, che chiamava a raccolta ogni anno a migliaia in occasione della festa di san Corbiniano e per i quali creò una serie di momenti di dialogo durante i quali affrontare anche temi difficili, spiegando con pazienza la posizione della Chiesa sul celibato dei preti o sulla contraccezione.

Una vasta gamma di esperienze che gli sarebbero tornate utili, molti anni dopo, quando sarebbe stato chiamato a un incarico pastorale assai più impegnativo: quello di papa.

Il prefetto

Dopo l'attentato a cui era sopravvissuto, Giovanni Paolo II tornò subito al lavoro, ma nel giugno 1981 dovette recarsi di nuovo in ospedale, al Policlinico Gemelli – un luogo che diverrà per lui tristemente familiare negli anni a venire – per un'infezione da cytomegalovirus, che avrebbe richiesto un intervento chirurgico.

Una volta dimesso, papa Wojtyla riprese la sua attività con il consueto slancio, presentando, tra l'altro, dopo l'estate una nuova enciclica, la *Laborem exercens*, sul tema del lavoro.

Tra le sue priorità restava però da risolvere, con urgenza, quella di affidare uno dei più importanti dicasteri vaticani, la Congregazione per la dottrina della fede.

Fondata nel 1542 da papa Paolo III e chiamata in origine Sacra Congregazione della romana e universale inquisizione (conosciuta più semplicemente come l'Inquisizione), è la più antica delle nove congregazioni della curia romana e una delle istituzioni vaticane di più lunga durata: solo la Segreteria di Stato, fondata nel 1487, ha origini più lontane nel tempo. Papa Pio X, nel 1908, cambiò il nome del dicastero in Sacra Congregazione del Sant'Uffizio e alla fine del Concilio Vaticano II fu adottata la denominazione ancora in vigore.

Il compito attuale della Congregazione per la dottrina della fede, così come è stato ridefinito nel 1988 da Giovanni Paolo II, è quello di «promulgare e di tutelare la dottrina della fede e i costumi in tutto l'orbe cattolico: è pertanto di sua competenza tutto ciò che in qualunque modo tocca tale materia». Non si tratta soltanto di un organismo di vigilanza, come spesso viene dipinto, ma anche di un dicastero che deve favorire «gli studi volti a far crescere l'intelligenza della fede, perché ai nuovi problemi scaturiti dal progresso delle scienze e della civiltà, si possa dare risposta alla luce della fede».

Guida della Congregazione, all'inizio del papato di Wojtyla, era il croato Franjo Seper, che presto iniziò a chiedere di poter andare in pensione. Nell'81, raggiunti i settantasei anni, venne esaudito dal papa. Il papa chiese nuovamente a Ratzinger di assumere l'incarico e, questa volta, acconsentì.

La nomina di Ratzinger avvenne il 25 novembre 1981 e fu vista come un passo nuovo sul cammino dell'attuazione del Concilio, perché non era mai accaduto che l'incarico di prefetto andasse a un teologo, e non invece a qualcuno cresciuto all'interno delle gerarchie ecclesiastiche. Ratzinger andava a sedersi sulla poltrona su cui fino alla fine degli anni Sessanta si trovava l'inflessibile cardinale romano Alfredo Ottaviani, che era stato al centro delle critiche che i giovani teologi del Concilio – tra cui lo stesso Ratzinger – avevano rivolto alla curia di Roma.

Il posto di Ottaviani era stato occupato nel 1968 dal cardinale Seper, che morì un mese dopo l'arrivo di Ratzinger a Roma.

Ma Seper aveva trascorso gran parte della sua attività sotto Paolo VI. La Chiesa di Giovanni Paolo II era qualcosa di diverso e l'accoppiata Wojtyla-Ratzinger prometteva ben altre sfide alla mentalità contemporanea e a coloro che mettevano in discussione l'autorità della Santa Sede.

CAPITOLO 10

I PRIMI ANNI ROMANI

L'idea di libertà

Il cardinale Ratzinger era giunto a Roma con alle spalle una storia personale e un itinerario di studi che avevano creato in lui una visione chiara e solida del ruolo della Chiesa nel mondo e di come proporre l'annuncio cristiano all'uomo del XX secolo. Volendo tentare di semplificarla al massimo, con tutti i rischi di approssimazione che si corrono in questi casi, si può dire che centrale per lui era l'idea che la vera libertà potesse essere sostenuta solo dalla certezza in fatto di morale e di dottrina. Per essere liberi davvero occorreva seguire qualcosa o qualcuno altro da sé e, nel caso della Chiesa, questo qualcuno era il Santo Padre e l'autorità romana, in quanto prosecuzione di Cristo nella storia.

Non c'erano solo gli studi a dargli una serena consapevolezza in questo senso, ma tutto un itinerario di vita. L'esperienza vissuta con il nazismo da giovane, quando la Chiesa gli appariva l'unico solido rifugio dalle ideologie di morte di Hitler. I «no» pieni di bontà di suo padre e sua madre, che adesso si preparava a pronunciare – paternamente, ma con forza – dalla poltrona dell'ex Sant'Uffizio. Il confronto con il '68 e i conseguenti tentativi di rendere la Chiesa un'assemblea democratica. Il confronto-scontro ancora tutto aperto con l'ideologia comunista, che manteneva spaccata la sua Germania e soggiogata la Polonia di Wojtyla.

Il rischio maggiore gli sembrava provenire non tanto da regimi e dittatori vari, quanto dall'ideologia dominante nella società, dalla cacciata di Cristo dalla vita quotidiana e dal suo essere relegato a un saltuario appuntamento la domenica a messa. Usando una parola che già all'epoca era al centro dei suoi pensieri, e che ripeterà alla vigilia della sua elezione a pontefice, il pericolo erano le insidie del relativismo, il «lasciarsi portare qua e là da qualsiasi vento di dottrina».

La mole di interventi che la Congregazione produrrà nel quarto di secolo in cui si troverà a essere guidata da Ratzinger è tale che serviranno anni per studiarla in modo approfondito e in questa sede è possibile solo un rapido sguardo su anni e anni di intensa attività di difesa e promozione della fede.

Prima ancora di insediarsi come prefetto, Ratzinger aveva già avuto l'opportunità di un intervento di alto profilo in Vaticano riguardo a tematiche che sarebbero state al centro della sua attività nella Congregazione per la dottrina della fede. Nel 1980 era stato chiamato da Giovanni Paolo II a svolgere il ruolo di relatore alla quinta assemblea generale del sinodo dei vescovi, dedicata al tema della famiglia cristiana nel mondo contemporaneo: un argomento che starà molto a cuore a Ratzinger anche negli anni a venire e sul quale in quell'occasione ebbe modo di parlare in maniera approfondita, ispirando il percorso dei successivi lavori dei vescovi.

Il cardinale tedesco tracciò in primo luogo un quadro della situazione in cui si trovava la famiglia nello scenario internazionale, dipingendo un'istituzione in crisi attaccata da una mentalità che sempre più la riteneva sorpassata. Il ruolo della donna emergeva, nella riflessione di Ratzinger, come fondamentale per la comprensione del significato e degli scopi del matrimonio. Allargando lo sguardo al disegno di Dio sulla famiglia, spiegava che l'unione di un uomo e di una donna non è un semplice patto privato, né una questione profana o biologica, ma è qualcosa di sacro che cambia lo *stato* dei coniugi, li introduce a una nuova forma di vita permanente e responsabile. Puntando l'indice contro governi e legislatori, affermava come proprio per questa natura sacra, la famiglia e il matrimonio dovevano precedere in qualche modo la cosa pubblica che doveva quindi rispettarli.

Unite alle riflessioni sulla sessualità, che Ratzinger riportava nell'alveo del suo diretto legame con la fecondità, la maternità e la procreazione, c'erano nell'intervento del cardinale in occasione del sinodo tutte le basi non solo per le battaglie in difesa della famiglia che condurrà negli anni successivi, ma anche per i «no» che pronuncerà su temi strettamente collegati: la contraccezione, il divorzio, le unioni tra omosessuali.

Il prefetto al lavoro

Uno dei primi interventi di Ratzinger, nella sua nuova veste di custode della fede cattolica, fu raffreddare gli animi, nel marzo 1982, di fronte agli entusiasmi che circolavano sui media riguardo alla possibilità che la Chiesa di Roma fosse vicina a una storica rappacificazione con quella anglicana. L'impressione era legata alla conclusione dei lavori di una commissione di studio cattolico-anglicana, dai cui ambienti erano trapelate idee probabilmente un po' troppo ottimistiche. Ratzinger prese carta e penna, scrisse un documento in materia e lo diramò subito non solo ai diretti interessati in Gran Bretagna, ma anche alla stampa internazionale.

Nella nota, Ratzinger avvertiva che, pur essendo stati fatti progressi nel dialogo con gli anglicani, restavano problemi seri in tema di eucaristia, sacerdozio e soprattutto autorità della Chiesa: il ruolo del papa non poteva essere oggetto di alcun compromesso con una religione strettamente legata alla monarchia britannica. «Ci sono vari punti» scriveva Ratzinger «tenuti come dogma dalla Chiesa cattolica, i quali non possono essere accettati come tali, o sono in grado di essere accettati solo in parte, dai nostri fratelli della Chiesa anglicana.»

L'intervento segnalava un duplice aspetto delle modalità con cui intendeva lavorare Ratzinger. In primo luogo, la volontà di non scendere a compromessi quando si trattava di questioni centrali per la fede cattolica. Inoltre, la capacità di utilizzare i mezzi di comunicazione per far passare il proprio messaggio, invece di tenere le questioni chiuse all'interno del dibattito nel mondo cristiano.

Su quest'ultimo fronte, il prefetto diede un esempio del proprio metodo nel dicembre 1982, quando convocò i giornalisti a una conferenza stampa formale e si sottopose a domande libere su ogni argomento: era la prima volta che la guida di un importante dicastero vaticano prendeva un'iniziativa del genere. Era anche il frutto del rapporto con i mezzi d'informazione avviato in quegli anni da papa Giovanni Paolo II, il pontefice più abile nel rapporto con i mass media nella storia della Chiesa cattolica.

«La Chiesa si sforza e si sforzerà sempre di più» diceva il papa ai giornalisti nei primi anni Ottanta «di essere una "casa di vetro", dove tutti possano vedere cosa avviene e come essa compia la propria missione nella fedeltà a Cristo e al messaggio evangelico.»

In una messa per i membri della stampa in Vaticano, Ratzinger propose loro un confronto tra la figura di Rousseau e quella di san Francesco di Sales, il santo patrono dei giornalisti, spiegando che il primo rappresentava quel mondo giornalistico dove la critica era fine a se stessa e ciò che contava era «dimostrare che tutto è sporco e volgare», mentre il messaggio del santo era di verità e coraggio: «Abbiamo certamente bisogno» affermava Ratzinger «del coraggio di denunciare apertamente ogni abuso, per sollecitare dei miglioramenti, ma abbiamo oggi più bisogno ancora del coraggio di saper rendere visibile il bene nell'umanità e nel mondo».

Ratzinger prese l'abitudine di convocare conferenze stampa per spiegare i propri documenti ufficiali. Lo fece, per esempio, nei primissimi anni di attività alla Congregazione per la dottrina della fede, per illustrare una direttiva con la quale censurava alcuni aspetti dell'attività di varie comunità cristiane «di base» che si stavano moltiplicando in Europa e in America Latina, e che egli intendeva richiamare all'ordine.

Solo sacerdoti regolarmente ordinati dal vescovo potevano celebrare la messa, spiegò, non c'era spazio nella Chiesa cattolica per libere iniziative, donne all'altare e preti sposati. Chi si muoveva in questa direzione, ammoniva Ratzinger, si poneva fuori «dalla partecipazione all'unità dell'unico corpo del Signore».

Nel corso degli anni, avrebbe avuto modo di mettere in pratica questi ammonimenti con una lunga serie di «ribelli» che sfidavano l'autorità di Roma.

Il Rapporto sulla fede

L'esempio più clamoroso del desiderio di Ratzinger di usare gli strumenti della quotidianità per portare l'annuncio cristiano nel mondo, fu la decisione di sottoporsi a una lunga intervista da trasformare in libro, nella quale approfondire tutti i temi su cui intendeva lavorare dal ponte di comando dell'ex Sant'Uffizio. Era l'estate del 1984, Ratzinger era a Roma da meno di tre anni, quando, con l'appoggio di Giovanni Paolo II, decise un gesto coraggioso. Cercando di cancellare gli stereotipi di inquisitore che agiva nell'oscurità di misteriose stanze vaticane, si lasciò intervistare a lungo dal giornalista e scrittore Vittorio Messori (che in seguito sarebbe diventato co-autore anche di papa Wojtyla). Ne nacque il *Rapporto sulla fede*, destinato a un successo editoriale internazionale senza precedenti per un'opera del genere. E, ovviamente, a una valanga di polemiche.

Come si sviluppò l'iniziativa, lo ha raccontato lo stesso Messori sul «Corriere della Sera» il giorno dopo l'elezione di Ratzinger a papa. L'idea che un prefetto dell'ex Sant'Uffizio concedesse una lunga intervista personale, per di più destinata a diventare un libro, sembrava inconcepibile a chi frequentava le stanze vaticane.

«E invece l'improbabile avvenne» ha raccontato Messori. «Un paio di giorni prima del ferragosto del 1984 parcheggiavo la mia auto nel parco del bel seminario di Bressanone che, durante l'estate, offriva un'economica villeggiatura a preti e a famiglie cattoliche senza troppe pretese. Tra quei villeggianti, c'era un sacerdote dal volto intenso e dai modi aristocratici, malgrado le origini piccolo borghesi, i capelli già candidi, un corpo minuto, un modesto *clergyman* senza alcuna insegna. Il cardinal prefetto da anni passava così le sue due settimane di vacanza annuale. Di quei pochi giorni, tre (e non so ancora perché) aveva deciso di riservarmeli. Ci vedevamo al mattino e conversavamo sino a pranzo, davanti al registratore che girava. A tavola, le buone, corpulente suore tirolesi ci servivano qualche loro rustico piatto. Un breve riposo e poi di nuovo davanti al magnetofono. Le ultime due sere, per ritocchi e precisazioni, ci vedemmo anche dopo cena.»

Il comunicato stampa con cui nel maggio 1985 le edizioni San Paolo annunciavano l'uscita del libro e ne sintetizzavano il contenuto lasciava già intuire che si trattava di qualcosa di esplosivo: «La prima fase dopo il Concilio Vaticano II» vi si leggeva «la fase della confusione e della sperimentazione è conclusa: inizia per la Chiesa il tempo della restaurazione, intendendo questo termine non come un ritorno all'indietro, ma come la ricerca di un nuovo equilibrio».

L'eco fu enorme, le polemiche immediate. In un momento in cui godevano di buona stampa preti del dissenso e comunità «di base» sparse in mezzo mondo, l'idea di una restaurazione proposta da uno dei più importanti collaboratori del papa fece scalpore. Messori racconterà di aver subito minacce, anche fisiche, tali da convincerlo a rifugiarsi per qualche tempo in un istituto religioso.

Ma enorme fu anche il successo, dall'Italia agli Stati Uniti, dove *The Ratzinger Report* divenne un bestseller e fece conoscere al grande pubblico il cardinale tedesco.

Nel libro-intervista, Ratzinger riproponeva in primo luogo, ma stavolta fuori dai circoli intellettuali cattolici, i temi del suo scontro con la corrente che, a suo avviso, aveva male interpretato il Concilio e che voleva portare la Chiesa su una strada «catastrofica». Dopo una fase di «aperture» indiscriminate al mondo, sosteneva Ratzinger, era ora che i cristiani riacquistassero la consapevolezza di essere una minoranza e di dover difendere ciò che stava al cuore della loro fede, invece di inseguire tendenze del momento o dialoghi pieni di compromessi.

Le bacchettate erano per tutti, compresi i preti che non avevano più un rapporto adeguato con i sacramenti e riducevano, per esempio, le confessioni a delle «conversazioni» con i fedeli o ad «autoanalisi terapeutiche tra due persone sullo stesso livello». Tutti segni di un tentativo, per Ratzinger, di inseguire la modernità da una posizione intimidita di retroguardia, invece di riproporre Cristo e la tradizione millenaria della Chiesa.

All'Occidente, Ratzinger rinfacciava di perseguire un liberalismo economico che andava a braccetto con il permissivismo morale e riproponeva la validità di una vera etica cattolica.

Il cardinale entrava poi nelle case e nelle vite della gente per criticare le modalità con cui veniva vissuta la sessualità, ribadendo il «no» a tutto ciò che separava l'atto sessuale da una finalità di procreazione, ma suonando l'allarme anche sul fenomeno opposto: la procreazione senza la sessualità, ovvero il tema dell'inseminazione artificiale e delle nuove tecniche scientifiche legate alla riproduzione. Il punto-chiave dei suoi ammonimenti, su questo terreno, era la messa in guardia sul rischio che la vita umana venisse ridotta sempre più a *cosa*, a prodotto, e che la manipolazione biologica fosse al servizio della volontà degli uomini di pianificare tutto, compresa la vita, prescindendo dal Mistero.

Omosessualità, aborto, contraccezione erano ancora una volta oggetto di avvertimenti rivolti non solo alla società in generale, ma anche a preti e vescovi che dimostravano eccessive aperture, secondo Ratzinger, su tali tematiche. L'enciclica di Paolo VI, *Humanae vitae*, che era costata dure critiche al papa, ad avviso del prefetto della Congregazione per la dottrina della fede «non era stata capita», ma doveva essere presa in considerazione con serietà dall'ambiente ecclesiastico.

Capitolo ii

I RIBELLI

Lefebvre

Nonostante la fama di inquisitore che subito tentarono di attribuirgli, il cardinale Ratzinger, nelle testimonianze di tutti coloro che lo hanno conosciuto, si trovava assai più a suo agio quando poteva discutere di teologia o dei mali della società, che non quando era costretto dal suo ruolo a richiamare all'ordine i tanti figli ribelli della Chiesa cattolica. Quest'ultimo fu un compito che dovette rivestire probabilmente molte più volte di quanto non avesse desiderato.

I teologi cosiddetti «progressisti» vengono indicati generalmente come coloro contro i quali Ratzinger si scagliò più duramente. Egli si trovò a dover fare i conti dal Vaticano con personalità del mondo intellettuale cattolico con le quali aveva avuto rapporti per anni e di cui era stato collega e, in taluni casi, anche amico. Ma una delle battaglie più lunghe e dolorose, il prefetto della Congregazione per la dottrina della fede fu costretto a combatterla contro una realtà religiosa che non predicava fughe in avanti o svolte nella Chiesa, ma pretendeva invece di erigersi a custode della tradizione e voleva cancellare ogni innovazione introdotta dal Concilio Vaticano II.

Si trattava della «Fraternità san Pio X», fondata nel 1970 a Ecône, in Svizzera, dal monsignore francese Marcel Lefebvre, un vescovo che aveva creato problemi al Vaticano fin dai tempi di papa Giovanni, nei primi anni Sessanta.

Ratzinger ereditò la questione di Lefebvre dal suo predecessore. Le posizioni del vescovo ultratradizionalista e dei suoi seguaci avevano già portato a conseguenze drastiche. Papa Paolo VI era intervenuto direttamente su Lefebvre, alla metà degli anni Settanta, per cercare di convincerlo a tornare a rispettare l'autorità del Vaticano, ma il vescovo non aveva avuto intenzione di accettare alcuna direttiva tra quelle che erano venute dal Concilio. Con un gesto di aperta sfida all'autorità di Roma, Lefebvre il 29 giugno 1975 aveva ordinato tre sacerdoti, violando un divieto esplicito che gli era stato imposto. Paolo VI non ebbe scelta: il 24 luglio 1976 decise nei suoi confronti la sospensione *a divinis*, gli tolse cioè ogni diritto di compiere i sacramenti.

Da allora, era cominciata una lunga campagna di mediazione per cercare di riavvicinare il vescovo ribelle e i suoi seguaci a Roma. Sia Paolo VI, sia Giovanni Paolo II si impegnarono nel tentativo, con grande pazienza. Toccò però soprattutto a Ratzinger, fin dai primi anni dopo il suo arrivo in Vaticano, portare avanti un dialogo reso difficile dal carattere di Lefebvre e dalle sue continue accelerazioni e frenate.

La situazione precipitò nel 1988. Ratzinger si era dimostrato disponibile a riabbracciare i seguaci della Fraternità e l'anno precedente aveva avuto un incontro personale con il vescovo francese. Il prefetto della Congregazione per la dottrina della fede non rinunciò ai propri tentativi neppure di fronte ai ripetuti annunci che Lefebvre faceva riguardo alla propria intenzione di creare dei vescovi, un gesto che equivaleva a uno scisma e alla immediata scomunica.

Il 4 maggio 1988, Ratzinger si incontrò con Lefebvre in una casa di suore sulla via Aurelia, a Roma, e sottopose al vescovo ribelle un documento che era stato messo a punto dai teologi delle due parti. Era una dichiarazione di sottomissione all'autorità del papa. Lefebvre disse che voleva veder creati i suoi vescovi, ma Ratzinger chiarì che la scelta spettava al papa e sul Santo Padre non intendeva fare alcuna pressione in tal senso.

Il vescovo alla fine firmò il 5 maggio, ma il giorno 6, in

una lettera, annunciava che avrebbe comunque nominato dei vescovi il successivo 29 giugno. Ratzinger, accusato spesso di essere stato inflessibile con i teologi progressisti, lo fu in maniera netta e senza ripensamenti con il tradizionalista che voleva il ritorno a una Chiesa preconciliare. Avvertì Lefebvre che le conseguenze sarebbero state irreparabili, ma non fu ascoltato. I vescovi furono ordinati con una cerimonia in Svizzera e dal Vaticano partì immediata la scomunica.

Lefebvre morì nel marzo 1991, senza che fosse avvenuta alcuna riappacificazione con Roma, lasciando ai suoi seguaci il compito di decidere il futuro di una comunità ribelle ormai isolata dal mondo cattolico.

Boff e la «teologia della liberazione»

Una delle correnti che aveva preso campo negli anni Settanta sulla scia del dibattito postconciliare, era stata quella della cosiddetta «teologia della liberazione», un fenomeno che ottenne grande diffusione soprattutto in America Latina, ma che raggiunse anche altre parti del mondo: l'India, lo Sri Lanka, le Filippine, l'Africa.

L'analisi delle tesi dei protagonisti di questo pensiero e il confronto con le sfide che rappresentavano per la Chiesa furono impegni che assorbirono Ratzinger per anni. La caratteristica di fondo della teologia della liberazione era quella di interpretare il messaggio cristiano utilizzando in buona parte strumenti del marxismo. I poveri, i diseredati, le condizioni di disagio diventavano l'epicentro dell'attenzione dei teologi che vi si ispiravano. La religione si avvicinava così sempre più alla politica.

Ratzinger riteneva particolarmente insidiosa la teologia della liberazione perché era il classico fenomeno dove a suo avviso premesse buone e condivisibili portavano a conseguenze sbagliate. Cristo diventava il protagonista della lotta di classe, i poveri erano la prosecuzione della presenza di Dio nella storia. Una tesi legata a un impeto positivo, che si prestava però a una molteplicità di cattive interpretazioni.

Il protagonista principale del movimento era il teologo brasiliano Leonardo Boff, un frate francescano che ruotava intorno al gruppo della rivista «Concilium» e si era messo in contrasto con il Vaticano fin dal 1975.

Boff fu protagonista di un lungo braccio di ferro con Ratzinger. Nel 1984 si presentò a Roma per farsi interrogare per giorni dall'ex Sant'Uffizio, nello stesso periodo in cui Ratzinger diffondeva un documento che disapprovava la teologia della liberazione e metteva in guardia vescovi e sacerdoti in tutto il mondo dal farsi influenzare dalle sue proposte.

Il confronto tra Roma, Boff e gli altri teologi della liberazione durò anni. I loro esponenti furono sempre più isolati in America Latina e Giovanni Paolo II nominò, soprattutto in Brasile, vescovi che fossero in linea con il Vaticano.

Boff alla fine lasciò l'ordine francescano. «Con Benedetto XVI» ha commentato dalla sua casa nei pressi di Rio de Janeiro dopo la nomina di Ratzinger «continuerà l'inverno della Chiesa.»

Küng e Schillebeeckx

I processi e gli interrogatori che venivano celebrati nella sede della Congregazione per la dottrina della fede erano coperti dal riserbo e ciò che veniva reso pubblico era solo l'esito finale. I racconti che ne hanno fatto sia i collaboratori di Ratzinger, sia coloro che sono finiti nel suo mirino, però, non lasciano trapelare l'immagine di confronti severi e metodi spietati che ricordassero quelli dell'antica Inquisizione. Si trattava piuttosto di dialoghi serrati in cui Ratzinger faceva ricorso soprattutto alle armi della ragione e della dottrina, in un'atmosfera tutto sommato pacata, anche se gli esiti talvolta erano severissime censure per gli «inquisiti».

Niente, nella storia personale di Ratzinger, lascia presupporre che abbia mai provato particolare soddisfazione nell'esercitare il potere di prefetto. Le testimonianze dei suoi collaboratori raccontano invece la sofferenza con cui, negli anni più recenti, si è dedicato per esempio all'esame dei casi dei preti accusati, soprattutto negli Stati Uniti, di pedofilia. Un compito al quale riservava un momento particolare tutti i venerdì, e che con il passare del tempo cominciò a chiamare «la nostra penitenza del venerdì».

Tra i casi senza dubbio più difficili da gestire, ci sono stati quelli dei teologi con i quali aveva avuto una stretta collaborazione ai tempi del Concilio e che ora era costretto a richiamare all'ordine con severità. I nomi di maggior spicco sono quelli di Hans Küng ed Edward Schillebeeckx.

Il professore di teologia che aveva voluto Ratzinger a Tubinga era stato privato nel 1979 dell'autorizzazione a insegnare in nome e per conto della Chiesa cattolica, dopo che si era spinto fino a minare le radici del dogma dell'infallibilità papale. Il suo fascicolo, negli archivi della Congregazione per la dottrina della fede, continuò a diventare sempre più consistente con l'arrivo di Ratzinger, contro il quale Küng scatenò una vera e propria rivolta dei teologi progressisti.

Schillebeeckx, il teologo olandese di origine belga che a sua volta aveva avuto modo in passato di collaborare con Ratzinger, era stato messo sotto inchiesta prima dell'arrivo in Vaticano del cardinale tedesco. Toccò però a quest'ultimo censurarlo duramente e prendere provvedimenti contro di lui, nel 1984, dopo che il domenicano ebbe fatto circolare tesi secondo le quali in alcune circostanze l'eucarestia nelle comunità locali poteva essere consacrata anche da «ministri straordinari», cioè da non sacerdoti.

Il dissenso tra Ratzinger e gli ex colleghi di «Concilium» ormai era radicato nel tempo. Un ex collega di Tubinga, Dietmar Mieth, dopo che Ratzinger è diventato papa Benedetto XVI, ha ricordato una lezione tenuta da Schillebeeckx nel 1968 nell'università tedesca. Küng e Ratzinger erano seduti accanto al podio dove parlava il teologo belga, che mise in discussione l'autorità della Chiesa. Küng prese la parola dopo di lui e descrisse un futuro nel quale immaginava una

Chiesa cattolica che sarebbe stata riformata. Ratzinger taceva. Terminato l'intervento, qualcuno dalla platea chiese il parere del prefetto. «Andò al podio» ha raccontato Mieth «e pronunciò una critica totale a ciò che i suoi due colleghi avevano appena detto. Lo fece in modo indiretto, non disse che quelle che avevano detto erano stupidaggini. Ma utilizzò una mole di riferimenti alla storia della teologia e della Chiesa, citazioni a mente di brani di Hegel e Schelling e di molti altri autori e altri riferimenti, per arrivare alla conclusione che le posizioni dei colleghi erano semplificazioni.»

Ratzinger aveva preso ormai da anni le distanze da Küng e dagli altri, aveva anche dato vita alla rivista «Communio» proprio per contrastare le loro tesi e, pur rimanendo in buoni rapporti personali con i teologi del dissenso, non era mai arretrato di un millimetro dalle sue posizioni. Adesso che era diventato il custode dell'ortodossia cattolica, il gruppo di «Concilium» non perse tempo ad attaccarlo.

Lo spunto furono le critiche sempre più severe che Ratzinger e lo stesso Giovanni Paolo II rivolgevano alla teologia della liberazione. Il 25 giugno 1984, gli «eretici» di Küng fecero pubblicare sul «New York Times» un documento di aperta sfida a Ratzinger – senza mai nominarlo – difendendo i movimenti progressisti e chiedendo più spazio all'interno della Chiesa. Tra i firmatari figuravano Küng, Schillebeeckx, padre David Tracy dell'Università di Chicago e padre John Coleman della scuola teologica dei gesuiti di Berkeley, in California.

Fu solo uno dei molteplici attacchi a Ratzinger lanciati in quegli anni, accompagnati anche da una serie di incontri chiarificatori tra il prefetto e Küng, durante i quali però ognuno era rimasto sulle proprie posizioni. Ratzinger mantenne la linea dura nei confronti dei teologi ribelli, che riteneva in errore da ben prima del suo arrivo a Roma e non concesse loro l'autorizzazione a tornare a insegnare con la benedizione della Chiesa. Così come nel corso degli anni fu inflessibile nel giudicare altri ribelli come lo srilankese Tissa Balasuriya (scomunicato per aver sostenuto il sacerdozio femminile e per aver affermato che il peccato originale era un'invenzione del clero «per poter esercitare un potere sulle anime dei fedeli») o l'americano padre Charles Curran (un teologo morale che rivendicava il diritto al dissenso dagli insegnamenti ufficiali della Chiesa).

Le tensioni proseguirono negli anni, senza risolversi. Küng rimase sostanzialmente fuori dalla Chiesa, senza riabilitazioni. «Io rispetto» disse di lui Ratzinger nel 1997 «il cammino personale che ha scelto di percorrere in ossequio alla sua coscienza; da parte sua, però, egli non dovrebbe pretendere il sigillo della Chiesa, bensì ammettere di essere giunto, proprio su questioni fondamentali, a decisioni del tutto personali. Un nuovo incarico di insegnamento in nome della Chiesa sarebbe più privo di senso ora che in passato. Ma di questo a Küng non importa niente: quello che egli vorrebbe è piuttosto che la sua teologia sia riconosciuta come una forma autentica di teologia cattolica.»

Più esplicito di quanto non potesse essere il prefetto della Congregazione per la dottrina della fede fu, nel 1985, il suo vecchio amico Hans Urs von Balthasar, che l'anno prima grazie a Ratzinger era stato ricevuto con tutti gli onori e premiato in Vaticano da papa Giovanni Paolo II. «Hans Küng non è più cristiano: per lui Cristo non è che un profeta» disse «si tratta solo di stabilire se sia più grande di Buddha o di Maometto. Küng rappresenta ormai solo se stesso, non ha più nulla da dire né ai cattolici né ai protestanti.»

CAPITOLO 12

DOMINUS JESUS

Dalla massoneria al Catechismo

Le battaglie contro i vari ribelli, per quanto accompagnate da vasta eco, erano in realtà solo una parte, e non certo la più consistente, del lavoro di Ratzinger alla guida della Congregazione per la dottrina della fede. Fin dal suo arrivo al dicastero vaticano, il cardinale si era impegnato in una monumentale opera di revisione di una moltitudine di aspetti della vita, della liturgia e della dottrina, per offrire precisazioni, puntualizzazioni, documenti e direttive. Quasi sempre, vista la linea di non compromesso sulle questioni di fede che condivideva con Giovanni Paolo II, i suoi interventi erano accompagnati da reazioni più o meno indignate non solo da parte del mondo laico, ma spesso anche di quello cattolico.

È il caso, per esempio, della censura nel 1984 contro la massoneria. Ratzinger ribadiva l'inconciliabilità di fondo tra i principi della fratellanza massonica e quelli della fede cristiana e ammoniva i cattolici: l'iscrizione alle logge massoniche viene proibita dalla Chiesa e chi decide di far parte del mondo dei liberi muratori commette un grave peccato e non può accedere alla comunione.

In tema di bioetica, come aveva fatto nel *Rapporto sulla fede*, la scienza fu da lui richiamata più volte e con forza al rispetto della vita umana e a non considerare l'essere umano come un «prodotto». Dalla clonazione alla fecondazione artificiale, dalla donazione di organi alla ricerca sugli embrioni: nessuno dei temi più delicati con cui dovevano confrontarsi gli scienziati sfuggiva alla sua analisi. «Che ci siano valori che non sono manipolabili per nessuno» spiegò Ratzinger «è la vera e propria garanzia della nostra libertà e della grandezza umana; la fede cristiana vede in ciò il Mistero del Creatore e della condizione di immagine di Dio che egli ha conferito all'uomo. Oggi quasi nessuno negherà direttamente la precedenza della dignità umana e dei diritti umani fondamentali rispetto a ogni decisione politica; sono ancora troppo recenti gli orrori del nazismo e della sua teoria razzista.»

Nel 1996, durante un convegno in Vaticano, Ratzinger tornò a richiamare lo spettro del nazismo ricorrendo a un ricordo personale che risaliva agli anni della gioventù in Baviera. Il cardinale raccontò a una platea di settemila persone di quando, all'età di quattordici anni, seppe che un suo cugino afflitto da sindrome di Down era stato internato in un campo di concentramento del Terzo Reich. Poco tempo dopo, arrivò la notizia che era morto «per polmonite». Le morti «per polmonite» di persone con disturbi mentali si moltiplicarono nel suo villaggio in Baviera e ben presto fu chiaro che «si trattava di una sistematica eliminazione di tutti coloro che non erano considerati produttivi». «Lo Stato» concluse Ratzinger «si era arrogato il diritto di decidere chi meritava di vivere e chi doveva essere privato dell'esistenza. Agli orrori della guerra si aggiunse un nuovo, diverso sgomento. Sentivamo come l'uccisione di queste persone umiliava e minacciava noi stessi, l'essenza umana che era in noi; se la pazienza e l'amore che vengono dedicati alle persone sofferenti vengono eliminati dall'esistenza umana come perdita di tempo e di denaro, allora non viene fatto solo male agli uccisi, ma vengono mutilati nello spirito proprio gli stessi sopravvissuti.»

In quella occasione, come in altre, il cardinale mise in guardia contro la «minaccia di barbarie» come quella nazista, che vedeva collegata al mancato rispetto della dignità umana di chi è affetto da limitazioni o malattie mentali. E più volte presentò documenti che si rivolgevano direttamente ai politici, indicando quale fosse l'atteggiamento che i cattolici impegnati nella vita pubblica dovevano tenere in tal senso.

Una parte di enorme importanza nel lavoro di Ratzinger vedeva la collaborazione con il papa per la messa a punto di encicliche o documenti sulla dottrina cristiana. Il prefetto ebbe un ruolo chiave in particolare nella stesura della *Veritatis splendor*, un'enciclica del 1993 nella quale Giovanni Paolo II ribadiva i fondamenti dell'insegnamento morale della Chiesa. Un documento, affermò il papa nel presentarlo ai fedeli, che «riafferma la dignità e la grandezza della persona umana, creata a immagine di Dio, e ripropone il genuino concetto della libertà umana, mostrandone l'essenziale e costitutivo rapporto con la verità, secondo la parola di Cristo: "La verità vi farà liberi!"».

Un anno prima dell'enciclica sulla morale, Ratzinger aveva presentato i risultati di una delle più vaste imprese a cui si era dedicato dopo il suo insediamento come prefetto e che costituirà anche una delle maggiori eredità lasciate dal papato di Giovanni Paolo II: la stesura di un nuovo Catechismo universale della Chiesa cattolica.

Una commissione presieduta da Ratzinger, con la collaborazione di migliaia di vescovi in tutto il mondo, aveva impiegato sei anni per mettere a punto un compendio aggiornato di tutto ciò in cui crede la Chiesa cattolica e delle modalità con cui lo celebra. Fino all'inizio del XX secolo, la Chiesa utilizzava a questo scopo il «Catechismo di san Pio V», messo a punto nel 1566 dopo il Concilio di Trento. Poi era arrivato all'inizio del Novecento il «Catechismo di san Pio X». Alla fine del secolo, però, era stata avvertita l'esigenza di riscrivere questa sorta di Costituzione della Chiesa alla luce del Concilio Vaticano II e del successivo dibattito nel mondo ecclesiastico. Nessuno meglio del teologo Ratzinger, che aveva vissuto il Concilio in prima persona e che aveva passato gli anni successivi a studiarne le conclusioni, poteva farsi carico di un compito del genere.

Il risultato fu un testo di oltre quattrocento pagine che venne diffuso in tutte le lingue e le parti del mondo, frutto anche delle riflessioni e dei suggerimenti delle realtà ecclesiastiche sparse nei vari continenti. Questo non impedì, tuttavia, che ancora una volta Ratzinger, il papa e la Santa Sede finissero nel mirino delle accuse di chi criticava l'impostazione troppo «romana» del cattolicesimo. Nel mondo intellettuale cattolico occidentale, la reazione fu spesso di scetticismo e in molti casi di netto rifiuto del Catechismo.

Dieci anni dopo la sua presentazione, Ratzinger difese la bontà del Catechismo e spiegò come la morale che lo caratterizzava, ispirata a sant'Agostino – l'autore forse preferito del futuro papa Benedetto XVI –, fosse quella di proporre «una dottrina della vita riuscita, l'illustrazione per così dire delle regole per la felicità».

«L'impulso primordiale dell'uomo, che nessuno può negare e al quale ultimamente nessuno si oppone» aggiungeva Ratzinger «è il suo desiderio di felicità, di una vita riuscita, piena.» Questo era ciò che la Chiesa cattolica prometteva con il proprio Catechismo.

Il testo del gigantesco compendio della fede cattolica fu sottoposto negli anni successivi a qualche modifica. La più significativa riguardava la pena di morte. Accogliendo indicazioni emerse dopo la pubblicazione del Catechismo in un'altra enciclica del papa, la *Evangelium vitae*, venivano ristretti in modo significativo i casi in cui la Chiesa poteva accettare la pena capitale. In questo senso, il Catechismo aveva lasciato aperte delle possibilità ed era finito nel mirino degli oppositori della pena di morte. Con le modifiche annunciate da Ratzinger, la Chiesa cattolica in pratica riduceva a zero gli ambiti in cui poteva essere accettabile punire qualcuno con la morte, alla luce dell'indicazione di Giovanni Paolo II secondo il quale i mezzi a disposizione degli Stati moderni per combattere la criminalità erano tali da non rendere più ammissibile il ricorso alle esecuzioni.

La pretesa cristiana

Non era facile, per il cardinale Ratzinger, superare il livello delle polemiche che avevano accompagnato il suo *Rapporto sulla fede* e alcune delle iniziative prese nel corso degli anni come prefetto della Congregazione per la dottrina della fede. Il futuro papa ci riuscì però nel 2000, l'anno del Giubileo con il quale la Chiesa cattolica salutava l'apertura del Terzo millennio dalla nascita di Cristo.

Nel settembre di quell'anno, Ratzinger presentò un documento di trentasei pagine, intitolato *Dominus Jesus*, che può forse essere considerato il più importante dei suoi ventiquattro anni alla guida dell'ex Sant'Uffizio e sicuramente una chiave di lettura decisiva per il papato di Benedetto XVI.

Nel documento, il Vaticano riaffermava con forza come la Chiesa cattolica fosse l'unica via per la salvezza dell'uomo. Le altre religioni, per quanto apprezzabili, andavano considerate «in una situazione gravemente deficitaria» rispetto a quella cattolica, che sottolineava il valore «esclusivo e assoluto nella storia dell'umanità» dell'incarnazione di Gesù Cristo. La Chiesa di Roma, era il messaggio di Ratzinger, non poteva essere considerata una tra le tante opzioni religiose a disposizione dell'uomo, ma l'unica in grado di condurre alla verità e alla salvezza. Leggere la Bibbia al di fuori del magistero della Chiesa cattolica, per il documento, risultava deviante. Il dialogo con le altre religioni veniva ribadito come importante e incoraggiato, ma partendo dalla consapevolezza che era l'autorità cattolica a custodire l'eredità e il significato vero del messaggio cristiano.

In sintesi: le chiavi del Paradiso erano custodite a Roma.

«Nel vivace dibattito contemporaneo sul rapporto tra il cristianesimo e le altre religioni» disse Ratzinger nel presentare alla stampa il documento «si fa sempre più strada l'idea che tutte le religioni siano per i loro seguaci vie ugualmente valide di salvezza. Si tratta di una persuasione ormai diffusa non solo in ambienti teologici, ma anche in settori sempre più vasti dell'opinione pubblica cattolica e non, special-

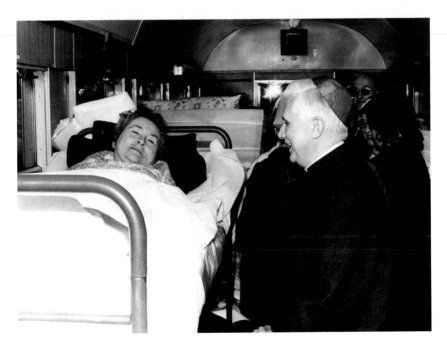

Sopra: Il cardinale Joseph Ratzinger, arcivescovo di Monaco e Frisinga, ringrazia la folla che lo acclama nella piazza del mercato di Monaco, 1 luglio 1977. © dpa /Landov
Sotto: Con i pellegrini portatori di handicap su un treno della Caritas diretto ad Assisi, 14 aprile 1978. © KNA/SIPA

Sopra: Il cardinale di Colonia Joseph Frings conversa con il giovane professore di teologia Joseph Ratzinger. Frings portò Ratzinger con sé a Roma durante il Concilio Vaticano II come consulente teologico.
© EPA/Erzbistum /Landov
Sotto: Cardinale e professore all'Università di Ratisbona, 14 settembre 1965.
© MAXPPP/KNA /Landov

Sopra: Un ritratto familiare non datato del padre, Josef, e della madre, Maria, con i figli Maria, Georg e Joseph prima che i due maschi fossero ordinati sacerdoti della Chiesa cattolica romana. © EPA/Erzbistum /Landov

Sotto: Joseph Ratzinger, professore di dogma e teologia fondamentale nel villaggio bavarese di Frisinga, 1959. © MAXPPP/KNA /Landov

Sopra: L'allievo Joseph
Ratzinger con il suo zaino
presso Aschau am Inn,
Germania, 1932.
© EPA/Erzbistum /Landov

Sotto: Con il fratello Georg
in attesa dell'ordinazione
sacerdotale a Monaco,
29 giugno 1951.
© EPA/Erzbistum /Landov

Sopra: Il cardinale Ratzinger a colloquio con papa Giovanni Paolo II durante un incontro straordinario dei cardinali a Roma, 5 novembre 1979. © MAXPPP/KNA /Landov

Sotto: Insieme a papa Giovanni Paolo II posa per i fotografi con i membri dell'orchestra a Monaco, 19 novembre 1980. © dpa /Landov

Sopra: Il cardinale Joseph Ratzinger attraversa piazza San Pietro, Città del Vaticano, 1983.

Sotto: Passa in rassegna la guardia onoraria degli alpini bavaresi, vestiti con il tradizionale costume, durante la celebrazione del suo settantacinquesimo compleanno, 20 aprile 2002.

Sopra: Papa Benedetto XVI nel giorno della sua elezione mentre benedice i fedeli dal balcone della basilica di San Pietro in Vaticano, 19 aprile 2005.
© REUTERS/Kai Pfaffenbach /Landov

Sotto: Negli appartamenti in Vaticano, con i cardinali Angelo Sodano ed Eduardo Martinez Somalo, 20 aprile 2005.
Già dal primo giorno del suo pontificato cerca di dissipare i timori di un papato rigido e autoritario, affermando il suo desiderio di un dialogo con tutte le chiese e le fedi religiose.
© REUTERS/Osservatore Romano-Arturo Mari/Pool/Landov

Sopra: Papa Benedetto XVI saluta il metropolita di Smolensk Kirill, un rappresentante anziano della chiesa ortodossa russa, Città del Vaticano, 25 aprile 2005. Lo stesso giorno il papa ha incontrato i capi della comunità musulmana, dando il benvenuto al progresso nel dialogo tra cristiani e musulmani e affermando la volontà della Chiesa cattolica di continuare "a costruire ponti d'amicizia" verso le altre religioni. © EPA/Landov

Sotto: L'arrivo alla basilica di San Paolo a Roma, la prima visita ufficiale fuori dallo Stato del Vaticano, 25 aprile 2005. © EPA/Landov

mente in quella più influenzata dall'orientamento culturale oggi prevalente in Occidente, che si può definire, senza timore di essere smentiti, con la parola "relativismo".

«Ritenere che vi sia una verità universale, vincolante e valida nella storia stessa che si compie nella figura di Gesù Cristo ed è trasmessa dalla fede della Chiesa, viene considerato una specie di fondamentalismo che costituirebbe un attentato contro lo spirito moderno e rappresenterebbe una minaccia contro la tolleranza e la libertà.» Per il cardinale, il vero dialogo ecumenico non poteva che partire dal riconoscimento «della figura storica di Gesù di Nazareth» e dalla consapevolezza della Chiesa cattolica di esserne la prosecuzione diretta nella storia.

Il relativismo, il pericolo che Ratzinger indicherà anche alla vigilia della propria elezione a pontefice come la vera insidia nel mondo contemporaneo, era al centro delle sue riflessioni. «Il fatto che il relativismo si presenti come la vera filosofia, in grado di garantire la tolleranza e la democrazia, conduce a marginalizzare ulteriormente chi si ostina nella difesa dell'identità cristiana e nella sua pretesa di diffondere la verità universale e salvifica di Gesù Cristo.»

Il messaggio contenuto nel *Dominus Jesus* non presentava in realtà alcuna novità sostanziale, ma ribadiva quella «pretesa cristiana» che era al centro della proposta della Chiesa da duemila anni. Nonostante ciò, il documento fu visto come una doccia gelida sulle prospettive del dialogo tra le religioni e scatenò un putiferio. Anche in questo caso, a scuotere la testa non furono solo seguaci di altre fedi e laici, ma anche esponenti di primo piano della gerarchia ecclesiastica.

«Se il papa fosse stato dieci anni più giovane, una cosa del genere non sarebbe stata fatta in questa forma» disse da Vienna l'anziano ex arcivescovo della capitale austriaca, cardinale Franz König (che morirà poco tempo dopo). «La salvezza è possibile per tutti al di fuori di qualsiasi Chiesa, se ciascuno segue la grazia di Dio, la coscienza morale e lo Spirito Santo» commentò il cardinale Carlo Maria Martini, all'epoca arcivescovo di Milano e uno dei più strenui sostenitori del dialogo tra religioni (sarà poi uno dei più autorevoli tra i cardinali riuniti nel 2005 per l'elezione del nuovo papa).

Anche il titolare di uno dei dicasteri del Vaticano, il cardinale Edward Cassidy, responsabile del dialogo interreligioso, prese in qualche modo le distanze dal documento, affermando che era stato scritto da chi è abituato a dire sempre «questo è vero, questo non è vero» e non è allenato al dialogo. Cassidy sostenne che si trattava di un documento accademico, di cui erano stati sbagliati i tempi per la diffusione e che non portava la firma del papa.

Critiche accese arrivarono dal mondo ebraico e da quello musulmano, che vedevano il documento in contraddizione con lo spirito del dialogo tra religioni promosso da Giovanni Paolo II, che aveva avuto tra i propri momenti più significativi la riunione dei leader delle religioni mondiali nel 1986 ad Assisi.

Ben presto si fece strada l'idea che il papa, già gravemente malato e stremato dalle celebrazioni del Giubileo, non fosse del tutto in sintonia con il *Dominus Jesus*. Ma Giovanni Paolo II smentì voci e insinuazioni con uno di quei gesti a sorpresa che tante volte avevano caratterizzato il suo papato.

Il I ottobre 2000, al termine di una cerimonia in Vaticano nel corso della quale erano stati proclamati santi centoventi martiri cinesi, all'improvviso papa Wojtyla si mise a parlare del documento di Ratzinger, spiegò di averlo voluto e approvato «in forma speciale» per invitare i cristiani «a rinnovare la loro fede in Cristo» e sostenne che non c'era alcuna «arroganza che disprezza le altre religioni» nel ribadire il ruolo che i cattolici attribuiscono a Gesù Cristo.

Il papa sottolineò che il *Dominus Jesus* era un documento che gli stava particolarmente a cuore e spiegò che ne erano state date troppe «interpretazioni sbagliate». «Affermando che solo in Cristo c'è salvezza» disse «non viene negata la salvezza ai non cristiani.» Ma a tutti veniva indicato come fonte ultima di quella salvezza Gesù di Nazareth, e la Chiesa la strada per raggiungerla. «Un dialogo con gli altri che prescinda da questi fondamenti e dalla certezza sulla propria fede» concludeva il papa «sarebbe destinato a degenerare in vuota verbosità.»

CAPITOLO 13

«NON ABBIATE PAURA DI CRISTO!»

Via Crucis

Aggrappato alla croce, da anni la stampella delle sue sofferenze, il papa seguiva di fronte a uno schermo televisivo la processione serale della Via Crucis in corso al Colosseo. Vestito di bianco, con una stola rossa sulle spalle, sedeva curvo e provato su una poltrona nella sua cappella personale, nel palazzo apostolico. Per la prima volta da quando era diventato il Santo Padre, oltre un quarto di secolo prima, Giovanni Paolo II non era riuscito a essere presente in mezzo ai fedeli per guidare il rito del Venerdì Santo. Dopo anni di battaglia con un fisico che non riusciva a restare brillante come la mente che ospitava, le sue condizioni di salute stavano precipitando. Anche il papa che non si tirava mai indietro, stavolta si era dovuto rassegnare a restare in Vaticano.

La sua immagine, ripresa da una telecamera discreta, veniva proposta alle migliaia di persone presenti al Colosseo che pregavano orfane del papa. Giovanni Paolo II li guardava in televisione e loro guardavano il papa osservarli. Stavolta non era riuscito neppure a preparare le meditazioni per le «stazioni» che ricordano la passione di Gesù Cristo e il suo cammino verso il Calvario e la crocifissione. Il compito, come molti altri in quei mesi, era stato affidato dal papa a uno dei collaboratori che più gli erano vicini, Joseph Ratzinger.

Era la sera del 25 marzo 2005. «Offro le mie sofferenze

perché il disegno di Dio si compia e la sua parola cammini fra le genti» disse il papa in un messaggio letto alla folla. Stava entrando nell'ultima settimana di vita.

Per l'evento più importante della settimana di Pasqua dei cristiani, Ratzinger aveva proposto riflessioni forti, veri e propri ammonimenti. «La Cristianità, stancatasi della fede» aveva ribadito «ha abbandonato il Signore: le grandi ideologie, come la banalizzazione dell'uomo che non crede più a nulla e si lascia semplicemente andare, hanno costruito un nuovo paganesimo, un paganesimo peggiore, che volendo accantonare definitivamente Dio, ha finito per sbarazzarsi dell'uomo. L'uomo giace così nella polvere.» In quella che Ratzinger definiva «la putrefazione delle ideologie», i cristiani avrebbero il compito di portare nel mondo «il nuovo profumo che riporta sulle tracce della vita». Invece, affermava, si dimenticano di Dio.

La Chiesa, da parte sua, non mancava di colpe. «Non dobbiamo pensare» si chiedeva Ratzinger «anche a quanto Cristo debba soffrire nella sua stessa Chiesa? A quante volte si abusa del Santo Sacramento della sua presenza, in quale vuoto e cattiveria del cuore spesso egli entra! Quante volte celebriamo soltanto noi stessi senza neanche renderci conto di lui! Quante volte la sua Parola viene distorta e abusata! Quanta poca fede c'è in tante teorie, quante parole vuote! Quanta sporcizia c'è nella Chiesa, e proprio anche tra coloro che, nel sacerdozio, dovrebbero appartenere completamente a lui! Quanta superbia, quanta autosufficienza! Quanto poco rispettiamo il sacramento della riconciliazione, nel quale egli ci aspetta, per rialzarci dalle nostre cadute!»

Parole che avevano scosso le coscienze. Il papa le ascoltava nella sua cappella, aggrappato alla croce, ormai quasi impossibilitato a parlare. Ora era Ratzinger a parlare per lui, a farsi portavoce delle inquietudini con cui Giovanni Paolo II si apprestava a lasciare la Chiesa.

I primi mesi del 2005 sono stati un vero periodo di passione per i cattolici. Ma pochi sono stati chiamati a portarne il peso come è toccato a Ratzinger. Il peggioramento della salute del papa e i successivi ricoveri in ospedale hanno costretto un piccolo gruppo di suoi collaboratori, tra i quali il prefetto della Congregazione per la dottrina della fede, a tenere le redini della Chiesa e a cominciare a pensare, mestamente, al futuro.

Per Ratzinger, è stato un momento di addii a buoni amici. Il 24 febbraio, il cardinale si era recato nel Duomo di Milano per celebrare i funerali di don Giussani, il fondatore di CL, il movimento che fin dai primi passi di «Communio» aveva instaurato con lui un dialogo speciale. Quella del popolo di CL fu la prima delle tanti grandi folle a cui il cardinale avrebbe parlato nelle settimane successive. Di fronte a decine di migliaia di persone, Ratzinger tracciò un profilo del sacerdote scomparso che, tra tanti ricordi e varie sottolineature sul suo carisma, conteneva un accenno che deve essergli stato particolarmente a cuore: «Don Giussani era cresciuto in una casa (come disse lui stesso) povera di pane, ma ricca di musica, e così sin dall'inizio era toccato, anzi ferito, dal desiderio della bellezza, non si accontentava di una bellezza qualunque, di una bellezza banale: cercava la bellezza stessa, la bellezza infinita; così ha trovato in Cristo la vera bellezza, la strada della vita, la vera gioia». Per il cardinale amante della musica, capace di commuoversi ascoltando una sinfonia, in quell'accenno c'era qualcosa di familiare, qualcosa che ricordava la sua stessa infanzia in Baviera.

La cerimonia di Milano era avvenuta nelle ore in cui il papa veniva ricoverato al Policlinico Gemelli di Roma. Pochi giorni dopo, il I marzo, Ratzinger si era recato a fargli visita in ospedale, raccontando in seguito di averlo trovato lucido e di aver conversato con lui in tedesco e in italiano. Ma nelle settimane successive la situazione era precipitata.

L'addio a Giovanni Paolo «Il Grande»

La Settimana Santa fu l'occasione per il mondo di rendersi conto che papa Wojtyla se ne stava andando. Uno dopo l'altro, fu costretto a mancare gli appuntamenti più importanti. Convalescente per un intervento chirurgico – una tracheotomia – Giovanni Paolo II dopo le meditazioni per la Via Crucis affidò a Ratzinger anche la celebrazione della veglia notturna della Pasqua. «Svegliamoci dal nostro cristianesimo stanco, privo di slancio» disse il cardinale.

Il peggioramento delle condizioni del papa portò nei giorni successivi i mezzi d'informazione di tutto il mondo a concentrarsi su piazza San Pietro. A migliaia, i pellegrini arrivavano nella grande spianata per pregare, con lo sguardo rivolto alle finestre dell'appartamento papale.

Ratzinger fu tra coloro che fino all'ultimo rimasero più vicini al Santo Padre. La sera prima della morte del pontefice, il I aprile, si recò però fuori Roma, a Subiaco, per una conferenza fissata da tempo che – nei giorni successivi – assunse il senso di una profezia. A Subiaco si trova il monastero medievale benedettino di Santa Scolastica, dedicato alla sorella di san Benedetto. In quel luogo così ricco di storia e memorie del santo, Ratzinger parlò a lungo di Europa e di crisi delle culture, rifacendosi proprio all'esempio lasciato da Benedetto da Norcia.

«Ciò di cui abbiamo soprattutto bisogno in questo momento della storia» disse il cardinale, che meno di un mese dopo si sarebbe fatto chiamare a sua volta Benedetto «sono uomini che, attraverso una fede illuminata e vissuta, rendano Dio credibile in questo mondo. La testimonianza negativa di cristiani che parlavano di Dio e vivevano contro di Lui, ha oscurato l'immagine di Dio e ha aperto la porta all'incredulità. Abbiamo bisogno di uomini che tengano lo sguardo dritto verso Dio, imparando da lì la vera umanità. Abbiamo bisogno di uomini il cui intelletto sia illuminato dalla luce di Dio e a cui Dio apra il cuore, in modo che il loro intelletto possa parlare all'intelletto degli altri e il loro cuore possa aprire il cuore degli altri. Soltanto attraverso uomini che sono toccati da Dio, Dio può far ritorno presso gli uomini.»

«Abbiamo bisogno» aggiunse Ratzinger «di uomini come Benedetto da Norcia il quale, in un tempo di dissipazione e di decadenza, si sprofondò nella solitudine più estrema, riuscendo, dopo tutte le purificazioni che dovette subire, a risalire alla luce, a ritornare e a fondare Montecassino, la città sul monte che, con tante rovine, mise insieme le forze dalle quali si formò un mondo nuovo. Così Benedetto, come Abramo, diventò padre di molti popoli.»

Accompagnato dall'ispirazione benedettina, Ratzinger tornò a Roma.

Sabato 2 aprile il papa che lo aveva voluto in Vaticano e non lo aveva più lasciato andare morì.

La reazione popolare alla morte di Giovanni Paolo II fu al di là di ogni previsione. A centinaia di migliaia e poi a milioni i fedeli si misero in fila per andare a rendere omaggio alla salma del pontefice. I potenti del mondo arrivarono a Roma per i più imponenti funerali a memoria d'uomo. Per le televisioni di tutto il pianeta, per giorni, non ci fu altra vicenda da raccontare che non fosse quello che accadeva in piazza San Pietro. La Chiesa si affrettò a chiamare Giovanni Paolo II «Il Grande». Il popolo nei giorni successivi cominciò a chiedere di più: «Santo subito», fu il grido che iniziò a levarsi dalla piazza.

Al prefetto della Congregazione per la dottrina della fede, come decano del collegio dei cardinali che avrebbero dovuto eleggere il nuovo papa, toccò il compito di gestire le complesse cerimonie dei giorni del lutto e di quelli del conclave.

Ratzinger, fino ad allora noto al grande pubblico soprattutto come il severo custode della tradizione vaticana, colpì i cuori di tutti con la semplicità e l'affetto della sua omelia funebre: «Possiamo essere sicuri che il nostro amato papa sta adesso alla finestra della casa del Padre, ci vede e ci benedice. Sì, ci benedica, Santo Padre. Noi affidiamo la tua cara anima alla Madre di Dio, tua Madre, che ti ha guidato ogni giorno e ti guiderà adesso alla gloria eterna del Suo Figlio, Gesù Cristo nostro Signore».

I cardinali, con le vesti agitate dal vento – che sfogliava anche le pagine del Vangelo appoggiato sulla semplice bara di legno di Giovanni Paolo II – ascoltarono Ratzinger forse cominciando a vederlo come l'uomo cui affidare il futuro della

Chiesa. Anche tra i capi di Stato e di governo presenti in piazza San Pietro, quell'omelia ottenne vasto apprezzamento.

Di ritorno negli Stati Uniti da Roma, anche il presidente americano George W. Bush si soffermò a lodare l'intervento di Ratzinger, parlando con i giornalisti di quella cerimonia che era stata, disse, «uno dei momenti più alti della mia presidenza». «L'omelia è stata ottima» disse Bush «per fortuna ci era stata data una versione in inglese. Dovreste leggerla. Bella. Bella. Veramente toccante.»

Ratzinger con il passare dei giorni continuò a mostrare di saper toccare le corde giuste, ora ricordando il Santo Padre scomparso, ora mettendo in guardia sui rischi che permanevano nel mondo che Giovanni Paolo II si lasciava alle spalle. Primo tra tutti, il relativismo. Anche la mattina del 18 aprile, il giorno in cui i 115 cardinali si dovevano chiudere in conclave nella Cappella Sistina per scegliere il nuovo papa, Ratzinger nell'ultima messa pubblica non si limitò certo a un'omelia di circostanza. Tracciò una sintesi di quei pericoli emergenti nella società contemporanea che si sforzava da anni di segnalare e correggere come prefetto dell'ex Sant'Uffizio. Ma non chiuse all'insegna del pessimismo, bensì indicando il compito per il futuro: «Noi abbiamo un'altra misura: il Figlio di Dio, il vero uomo. È lui la misura del vero umanesimo. "Adulta" non è una fede che segue le onde della moda e l'ultima novità; adulta e matura è una fede profondamente radicata nell'amicizia con Cristo. È quest'amicizia che ci apre a tutto ciò che è buono e ci dona il criterio per discernere tra vero e falso, tra inganno e verità. Questa fede adulta dobbiamo maturare, a questa fede dobbiamo guidare il gregge di Cristo».

Per i cardinali, a quel punto, gli interrogativi sembrarono sciogliersi. Inutile guardarsi troppo intorno, Ratzinger era il pastore giusto cui affidare, in quel momento storico, il gregge della Chiesa cattolica.

A ventiquattro ore dall'inizio del conclave, la fumata sul tetto della Cappella Sistina da nera divenne bianca. Dopo il lutto dei giorni precedenti, le campane di Roma cominciarono a suonare a festa.

Papa Benedetto

Arrivando di corsa dall'altra riva del Tevere, sciamando dagli uffici, affannandosi in giacche e cravatte, in tacchi e tailleur, in tute da lavoro, in divise e in jeans e scarpe da ginnastica, a centinaia di migliaia accorsero in piazza in pochi minuti, riempiendola.

Habemus papam. L'annuncio tradizionale dalla loggia della basilica. E poi Ratzinger che si affacciava, stavolta con un nome preso in prestito da un papa pacifista dell'inizio del XX secolo e dal santo che aveva salvato la civiltà occidentale: Benedetto XVI.

«Dopo il grande papa Giovanni Paolo II» fu il suo primo messaggio «i signori cardinali hanno eletto me, un semplice operaio nella vigna del Signore.»

Il bambino che sognava di diventare cardinale, il giovane e brillante teologo che quarantatré anni prima aveva stupito tutti in Vaticano con le sue conoscenze, il custode della fede che non temeva l'impopolarità per difendere il cuore del cristianesimo, adesso era diventato il nuovo successore di Pietro. Un incarico accettato con tremore e timore, ma anche con obbedienza. «Ho pregato il Signore di scegliere qualcuno più forte» ha confessato papa Ratzinger ad alcuni pellegrini tedeschi pochi giorni dopo l'elezione «ma evidentemente Lui non mi ha ascoltato. Le strade del Signore non sono comode, ma noi non siamo fatti per essere comodi.»

La paura è stata respinta presto. Al suo gregge, ai giovani, al mondo, Benedetto XVI si è presentato nella messa di inizio del papato con un messaggio inaugurale che ha preso di mira proprio l'approccio timoroso al cristianesimo, offrendo un'alternativa:

> In questo momento il mio ricordo ritorna al 22 ottobre 1978, quando papa Giovanni Paolo II iniziò il suo ministero qui sulla piazza di San Pietro. Ancora, e continuamente, mi risuonano nelle orecchie le sue parole di allora: «Non abbiate paura, aprite anzi spa-

lancate le porte a Cristo!». Il papa parlava ai forti, ai potenti del mondo, i quali avevano paura che Cristo potesse portar via qualcosa del loro potere, se lo avessero lasciato entrare e concesso la libertà alla fede. Sì, egli avrebbe certamente portato via loro qualcosa: il dominio della corruzione, dello stravolgimento del diritto, dell'arbitrio. Ma non avrebbe portato via nulla di ciò che appartiene alla libertà dell'uomo, alla sua dignità, all'edificazione di una società giusta. Il papa parlava inoltre a tutti gli uomini, soprattutto ai giovani. Non abbiamo forse tutti in qualche modo paura – se lasciamo entrare Cristo totalmente dentro di noi, se ci apriamo totalmente a lui – paura che egli possa portar via qualcosa della nostra vita? Non abbiamo forse paura di rinunciare a qualcosa di grande, di unico, che rende la vita così bella? Non rischiamo di trovarci poi nell'angustia e privati della libertà?

E ancora una volta il papa voleva dire: no! Chi fa entrare Cristo, non perde nulla, nulla, assolutamente nulla di ciò che rende la vita libera, bella e grande. No! Solo in quest'amicizia si spalancano le porte della vita. Solo in quest'amicizia si dischiudono realmente le grandi potenzialità della condizione umana. Solo in quest'amicizia noi sperimentiamo ciò che è bello e ciò che libera. Così, oggi, io vorrei, con grande forza e grande convinzione, a partire dall'esperienza di una lunga vita personale, dire a voi, cari giovani: non abbiate paura di Cristo! Egli non toglie nulla, e dona tutto. Chi si dona a lui, riceve il centuplo. Sì, aprite, spalancate le porte a Cristo e troverete la vera vita.

APPENDICI

OBIEZIONI E RISPOSTE

Quella che segue è una breve panoramica su otto «obiezioni» e temi controversi che da diversi ambiti della società vengono rivolti oggi alla Chiesa cattolica, accompagnata da una sintesi di quale sia, su ciascuno di essi, l'orientamento espresso negli anni scorsi da papa Benedetto XVI. Il pensiero del pontefice è ricavato qui da scritti e interventi pubblici del cardinale Joseph Ratzinger prima che divenisse il Santo Padre.

Le sintesi, lungi dall'essere esaustive su temi così complessi, sono opera dell'Autore, con tutti i limiti che questo comporta. Ratzinger, da raffinato teologo, ha accompagnato sempre le proprie considerazioni con una serie di riferimenti alla tradizione della Chiesa, alla filosofia, all'antropologia, che non trovano spazio in questa sede, ma possono essere oggetto di successivi approfondimenti da parte del lettore. Lo scopo qui è quello di offrire comunque un primo sguardo sulle passate riflessioni del successore di Pietro. Alcuni spunti sono suggeriti dal libro-intervista di Ratzinger *Il sale della terra* (San Paolo, 1997).

1. Il celibato dei sacerdoti

La difficoltà che l'uomo moderno ha nel comprendere il significato del celibato è, per Ratzinger, legata alle difficoltà che vive l'istituzione del matrimonio e della procreazione.

Celibato e matrimonio sono strettamente connessi: se entra in crisi l'uno, segna necessariamente anche l'altro. Un tempo, morire senza avere figli era sinonimo di una vita non compiuta. Rinunciare al matrimonio e ai figli era quindi il modo più «visibile» con cui dare testimonianza della propria totale dedizione a Gesù Cristo, per aiutare gli altri a riconoscerlo più facilmente. Era una forma di povertà.

Il celibato non era una scelta fatta per motivi pratici, per avere più tempo, non avendo figli o famiglia, da dedicare all'attività pastorale. Era una modalità per testimoniare il Regno di Dio, e la società, per come era strutturata, lo riconosceva con più facilità di quello che avviene oggi.

Il fatto che oggi matrimonio e celibato vivano una crisi parallela, non significa che la soluzione sia quella di permettere ai preti di sposarsi («Se abolissimo il celibato, resteremmo semplicemente con un tipo di problema diverso, quello dei preti divorziati» ha detto una volta Ratzinger), bensì quella di tornare a imparare a credere in entrambe le istituzioni. La fedeltà nell'una sostiene la fedeltà nell'altra.

Il celibato non è un dogma per la Chiesa, anche se le sue origini sono assai più antiche di quanto non venga comunemente ritenuto, affondano le radici già nel II secolo. Il requisito fondamentale è che sia una scelta veramente libera e consapevole e che la sua fatica sia sostenuta e aiutata, come è necessario anche per il matrimonio. La Chiesa ha avuto altri periodi di crisi e di tradimento del celibato come quello attuale, per esempio alla fine del Medio Evo, dove tale questione costituì uno dei fattori che innescarono la Riforma. Oggi come allora, non si tratta di affrontare il problema imboccando la scorciatoia del permettere semplicemente ai sacerdoti di sposarsi, ma occorre invece una nuova conversione.

2. Contraccezione

Tre considerazioni emergono su questo tema. La prima insiste sul valore del bambino nella società. Un nuovo essere umano è una benedizione, mentre nella società contemporanea si tende sempre più a vederlo come un ostacolo alla propria libertà. *Dare* la vita è un modo per comprendere meglio il significato della propria. Il secondo punto è legato al fatto che mai come oggi, nella storia, si è di fronte a una separazione così netta tra sessualità e procreazione ed è sempre più difficile riconoscere il legame tra le due. I bambini rischiano così di diventare prodotti, sottoposti a una rigida pianificazione e talvolta a una realizzazione in laboratorio che denota un'assenza di rispetto per la loro umanità. Anche la sessualità perde il proprio significato, sfuma la consapevolezza del vero senso del rapporto tra un uomo e una donna. Il terzo aspetto ha ancora una volta a che fare con il rifiuto di scorciatoie che non educano la persona: i problemi morali non si risolvono con soluzioni tecniche e chimiche, ma con un lavoro sullo stile di vita. La posizione complessiva della Chiesa, per Ratzinger, punta ad aiutare l'uomo a restare umano.

3. *Persone divorziate e risposate*

Le persone divorziate che vivono altre unioni, non devono sentirsi scomunicate dalla Chiesa, perché non lo sono. Non c'è alcuna scomunica nel senso giuridico del termine. Devono sentirsi accettate dalla Chiesa e sapere che la Chiesa soffre con loro. Fanno parte a pieno titolo della comunità cattolica. Nello stesso tempo, il fatto che non possano ricevere la comunione non va considerato in un'ottica di esclusione. L'eucarestia spesso rischia di venir ridotta a una sorta di «rito sociale», da cui ci si sente esclusi se non si può riceverla. Ma è importante invece in primo luogo che le persone divorziate si rendano conto di non essere le sole nella condizione di non poter ricevere la comunione, e in secondo luogo che venga riscoperto il significato vero dell'eucarestia. La comunità locale non deve far sentire degli esclusi coloro che non possono fare la comunione. La condizione di impedimento deve servire come spunto per un continuo esame di coscienza. Il principio però che il matrimonio è indissolubile non viene messo in discussione dalla Chiesa, e chi ha abbandonato il sacramento del matrimonio per un'altra unione, non è nella condizione di potersi accostare al sacramento dell'eucarestia. Occorre imparare a riconoscere l'elemento positivo che sta dietro questa rinuncia e sofferenza, che è legato alla possibilità di riscoprire il significato profondo dei gesti cristiani.

4. Il sacerdozio femminile

Tra le varie sottolineature che Ratzinger fa su questo tema, una delle più semplici e tra le più efficaci è il paragone con realtà, quali il Cristianesimo luterano, dove tale questione è già stata affrontata. La riflessione che ne consegue, osservando il fenomeno, è che ciò non è certo servito a risolvere il problema di cosa significhi essere cristiano oggi. Come per altri argomenti su cui la Chiesa è oggetto di critiche, Ratzinger evidenzia come anche considerando di imboccare queste strade, il «problema» dell'essere cristiano rimarrebbe drammatico come prima. Il fatto che siano già stati compiuti esperimenti in tale senso aiuta, perché dimostra che non è su questo terreno che si gioca la sfida di rendere più attraente il Vangelo per l'uomo contemporaneo. La Chiesa cattolica, insomma, non prova particolari disagi per non aver percorso un itinerario del genere. E non ha in programma di prenderlo in considerazione.

5. L'aborto

Il bambino che deve nascere viene considerato sempre più nella società moderna come un «invasore» che limita la libertà e irrompe nella vita altrui, spesso non desiderato. Si sta perdendo la consapevolezza che il bambino è invece una distinta creatura di Dio, creata a sua immagine e con un proprio diritto inalienabile alla vita. Un bambino concepito va considerato a pieno titolo un individuo che, pur avendo necessità di essere protetto dalla madre, è una persona distinta e va trattata a tutti gli effetti come un essere umano. L'aborto, quali che siano le condizioni che lo accompagnino, resta una modalità per risolvere una situazione difficile con un omicidio. Non rispetta neppure la donna, per i traumi psicologici che la madre deve sopportare. Tocca alla società agire per assicurare alla madre quell'aiuto che le permetta di valutare altre soluzioni.

6. Unioni omosessuali

«Il matrimonio non è una qualsiasi unione tra persone umane. Esso è stato fondato dal Creatore, con una sua natura, proprietà essenziali e finalità. Nessuna ideologia può cancellare dallo spirito umano la certezza secondo la quale esiste matrimonio soltanto tra due persone di sesso diverso, che per mezzo della reciproca donazione personale, loro propria ed esclusiva, tendono alla comunione delle loro persone. In tal modo si perfezionano a vicenda, per collaborare con Dio alla generazione e alla educazione di nuove vite» (da *Considerazioni sui progetti di riconoscimento legale delle unioni tra persone omosessuali*, 2003). I progetti di unioni omosessuali, valutati in alcuni Paesi, con il conseguente riconoscimento giuridico della possibilità di adottare figli, sono assolutamente da respingere. Non esiste fondamento alcuno che suggerisca neppure remote analogie tra il disegno di Dio e l'idea delle unioni tra persone dello stesso sesso. La sessualità non può essere disgiunta da una finalità di procreazione. Le persone omosessuali vanno trattate nell'ambito della Chiesa «con rispetto, compassione, delicatezza. A loro riguardo si eviterà ogni marchio di ingiusta discriminazione». Ma la loro condotta va ritenuta «oggettivamente disordinata» e le pratiche omosessuali restano «peccati gravemente contrari alla castità». Il riconoscimento giuridico di unioni omosessuali è inoltre un grave attentato ai diritti dei bambini che si trovino a vivere in coppie di questo genere. I politici cattolici devono astenersi dal sostenere iniziative di legge che appoggino tali unioni.

7. Pena di morte

La pena di morte viene respinta con forza dalla Chiesa cattolica. Una riserva contenuta nel Catechismo del 1992, secondo la quale l'uso della pena capitale può essere giustificabile in casi «di estrema gravità», è stata sostanzialmente ridotta dai passi compiuti dalla Santa Sede negli anni successivi e i casi in cui la pena di morte può essere ritenuta ammissibile sono ormai praticamente inesistenti. La pena di morte non può comunque essere legittimamente paragonata all'aborto, perché quando viene applicata nel rispetto delle leggi è comunque una modalità di punire chi si è dimostrato colpevole dei più gravi reati e rappresenta per questo una minaccia alla pace della società. L'aborto viene invece praticato su un essere che è assolutamente innocente.

8. L'infallibilità del papa

È un dogma spesso frainteso. Non significa che ogni cosa affermata dal papa sia di per sé infallibile. Esistono una serie di condizioni che vanno rispettate perché questo si verifichi e che fanno sì che il pontefice non agisca sulla base della sola propria coscienza soggettiva, bensì nella grande comunione della tradizione. I cattolici, e sempre più anche altre denominazioni cristiane, riconoscono la necessità di un'autorità ultima che prenda le decisioni, perché sui temi essenziali ci siano indicazioni da cui non ci si possa discostare e perché venga garantito che tali indicazioni interpretino correttamente l'eredità di Cristo. Un garante dell'unità è necessario per tutti.

LE SUE PAROLE

Proponiamo una raccolta di brani tratti da interventi pubblici fatti nel corso degli anni dal cardinale Joseph Ratzinger, da testi da lui firmati come prefetto della Congregazione per la dottrina della fede e dalle prime apparizioni pubbliche di papa Benedetto XVI.

La data tra parentesi si riferisce all'anno in cui sono stati pronunciati.

11 settembre (2002)[1]

È importante non attribuire semplicisticamente quanto è accaduto l'11 settembre 2001 all'islamismo. Sarebbe un grande errore. È vero, nella storia dell'islamismo c'è anche una tendenza verso la violenza, ma ci sono pure altri aspetti: una vera realtà di apertura alla volontà di Dio. È quindi importante aiutare affinché nel mondo islamico prevalga la linea positiva che pure esiste nella sua storia e che abbia la forza sufficiente per prevalere sull'altra linea.

Aborto (1987)[2]

Ogni legalizzazione dell'aborto implica l'idea che è la forza che fonda il diritto e così, inavvertitamente per i più, vengono minate le basi stesse di ogni autentica democrazia, fondata sull'ordine della giustizia. [...] Si diventa in tal modo ciechi di fronte al diritto alla vita di un altro, del più piccolo e del più debole, di chi non ha voce. I diritti di alcuni vengono affermati a scapito del fondamentale diritto alla vita di un altro.

Beethoven, la Nona sinfonia e l'Inno alla gioia (2003)[3]

Uno dei grandi capolavori della musica, la Nona sinfonia di Beethoven, riflette la lotta interiore di questo grande maestro in mezzo alle oscurità della vita, l'attraversamento, per così dire, di notti buie nelle quali nessuna delle stelle promesse sembra più brillare in cielo. Ma alla fine le nuvole si squarciano. Il grande dramma dell'esistenza umana che si sviluppa in musica si trasforma nell'inno di gioia per il quale Beethoven prese a prestito le parole di Schiller, parole che solo attraverso la sua musica hanno raggiunto la loro vera grandezza. [...] A differenza dell'intatta presenza della fede che traspare nell'*Inno alla gioia* di Händel e che emerge in modo del tutto diverso, e cioè come tranquilla pace interiore e come grazia di riconciliazione, nell'Oratorio *natalizio* di Bach o alla fine delle sue *Passioni*, l'ode illuministica di Schiller messa in musica da Beethoven in modo così imponente, è caratterizzata dall'umanesimo di quel tempo che mette l'uomo al centro e che – laddove si riferisce a Dio – preferisce il linguaggio del mito. Ciò nonostante non dobbiamo dimenticare che Beethoven è anche l'autore della *Missa solemnis*. Il Padre buono, del quale parla l'ode, per lui non è tanto un postulato, come potrebbe suggerire il testo di Schiller, quanto piuttosto un'ultima certezza.

Beethoven sapeva anche che possiamo fidarci del Padre perché nel Figlio egli si è fatto vicino a noi. E così possiamo tranquillamente intendere la scintilla divina, la gioia della quale parla l'ode, come scintilla di Dio che si comunica a noi attraverso la musica e dà sicurezza: sì, il Padre buono esiste davvero e non è assolutamente lontano, oltre il firmamento, ma, grazie al Figlio, è in mezzo a noi.

Bellezza (2002)[4]

Chi non conosce la frase tante volte citata di Dostoevskij: «La bellezza salverà il mondo»? Ci si dimentica però nella maggior parte dei casi di ricordare che Dostoevskij intende qui la bellezza redentrice di Cristo. Dobbiamo imparare a vederlo. Se noi lo conosciamo non più solo a parole ma veniamo colpiti dallo strale della sua paradossale bellezza, allora facciamo veramente la sua conoscenza e sappiamo di lui non solo per averne sentito parlare da altri. Allora abbiamo incontrato la bellezza della verità, della verità redentrice. Nulla ci può portare di più a contatto con la bellezza di Cristo stesso che il mondo del bello creato dalla fede e la luce che risplende sul volto dei santi, attraverso la quale diventa visibile la sua propria luce.

Cattolici e politica. Libertà e verità (2003)[5]

La fede non ha mai preteso di imbrigliare in un rigido schema i contenuti socio-politici, consapevole che la dimensione storica in cui l'uomo vive impone di verificare la presenza di situazioni non perfette e spesso rapidamente mutevoli. Sotto questo aspetto sono da respingere quelle posizioni politiche e quei comportamenti che si ispirano a una visione utopistica la quale, capovolgendo la tradizione della fede biblica in una specie di profetismo senza Dio, strumentalizza il messaggio religioso, indirizzando la coscienza verso una speranza solo terrena che annulla o ridimensiona la tensione cristiana verso la vita eterna.

Nello stesso tempo, la Chiesa insegna che non esiste autentica libertà senza la verità. «Verità e libertà o si coniugano insieme o insieme miseramente periscono» ha scritto Giovanni Paolo II (*Fides et ratio*). In una società dove la verità non viene prospettata e non si cerca di raggiungerla, viene debilitata anche ogni forma di esercizio autentico di libertà, aprendo la via a un libertinismo e individualismo, dannosi alla tutela del bene della persona e della società intera.

Clonazione (1997)[6]

Fabbricare l'uomo e renderlo un prodotto della nostra arte chimica o di qualsiasi altra tecnologia è un attacco fondamentale alla dignità dell'uomo, che non viene più considerato, che non viene più realizzato come creatura immediata di Dio con la sua vocazione immortale. [...] È essenziale rispettare la dignità unica dell'uomo, che è voluto e creato immediatamente da Dio, sempre con un nuovo miracolo di creazione. [Nella clonazione la persona] diventa un prodotto nostro, un prodotto della nostra arte: è quindi violata, fin dall'inizio, nella sua dignità di persona umana.

Crisi delle culture (2005)[7]

La vera contrapposizione che caratterizza il mondo di oggi non è quella tra diverse culture religiose, ma quella tra la radicale emancipazione dell'uomo da Dio, dalle radici della vita da una parte e le grandi culture religiose dall'altra. Se si arriverà a uno scontro delle culture, non sarà per lo scontro delle grandi religioni, ma per lo scontro tra questa radicale emancipazione dell'uomo e le grandi culture storiche.

Cristiani ed ecumenismo (2005)[8]

Con piena consapevolezza, all'inizio del suo ministero nella Chiesa di Roma che Pietro ha irrorato col suo sangue, l'attuale suo successore si assume come impegno primario quello di lavorare senza risparmio di energie alla ricostituzione della piena e visibile unità di tutti i seguaci di Cristo. Questa è la sua ambizione, questo il suo impellente dovere. Egli è cosciente che per questo non bastano le manifestazioni di buoni sentimenti. Occorrono gesti concreti che entrino negli animi e smuovano le coscienze, sollecitando ciascuno a quella conversione interiore che è il presupposto di ogni progresso sulla via dell'ecumenismo.

Il dialogo teologico è necessario, l'approfondimento delle motivazioni storiche di scelte avvenute nel passato è pure indispensabile. Ma ciò che urge maggiormente è quella «purificazione della memoria», tante volte evocata da Giovanni Paolo II, che sola può disporre gli animi ad accogliere la piena verità di Cristo. È davanti a lui, supremo giudice di ogni essere vivente, che ciascuno di noi deve porsi, nella consapevolezza di dovere un giorno a lui rendere conto di quanto ha fatto o non ha fatto nei confronti del grande bene della piena e visibile unità di tutti i suoi discepoli.

L'attuale successore di Pietro si lascia interpellare in prima persona da questa domanda ed è disposto a fare quanto è in suo potere per promuovere la fondamentale causa dell'ecumenismo. Sulla scia dei suoi predecessori, egli è pienamente determinato a coltivare ogni iniziativa che possa apparire opportuna per promuovere i contatti e l'intesa con i rappresentanti delle diverse Chiese e comunità ecclesiali.

Cultura illuminista (2005)[9]

Le motivazioni per questo «no» [all'inserimento del riferimento a Dio nella Costituzione europea e alla menzione delle radici cristiane dell'Europa] sono più profonde di quel che lasciano pensare le motivazioni avanzate. Presuppongono l'idea che soltanto la cultura illuminista radicale, la quale ha raggiunto il suo pieno sviluppo nel nostro tempo, potrebbe essere costitutiva per l'identità europea. Accanto a essa possono dunque coesistere differenti culture religiose con i loro rispettivi diritti, a condizione che e nella misura in cui rispettino i criteri della cultura illuminista e si subordinino a essa. Questa cultura illuminista sostanzialmente è definita dai diritti di libertà; essa parte dalla libertà come un valore fondamentale che misura tutto: la libertà della scelta religiosa, che include la neutralità religiosa dello Stato; la libertà di esprimere la propria opinione, a condizione che non metta in dubbio proprio questo canone; l'ordinamento democratico dello Stato, e cioè il controllo parlamentare sugli organismi statali; la libera formazione di partiti; l'indipendenza della magistratura; e infine la tutela dei diritti dell'uomo e il divieto di discriminazioni. Qui il canone è ancora in via di formazione, visto che ci sono anche diritti dell'uomo contrastanti, come per esempio nel caso del contrasto tra la voglia di libertà della donna e il diritto alla vita del nascituro. Il concetto di discriminazione viene sempre più allargato, e così il divieto di discriminazione può trasformarsi sempre di più in una limitazione della libertà di opinione e della libertà religiosa. Ben presto non si potrà più affermare che l'omosessualità, come insegna la Chiesa cattolica, costituisce un obiettivo disordine nello strutturarsi dell'esistenza umana. E il fatto che la Chiesa è convinta di non avere il diritto di dare l'ordinazione sacerdotale alle donne viene considerato, da alcuni, fin d'ora inconciliabile con lo spirito della Costituzione europea. È evidente che questo canone della cultura illuminista, tutt'altro che definitivo, contiene valori importanti dei quali noi, proprio come cristiani, non vogliamo e non possiamo fare a meno; ma è altrettanto evidente che la concezione mal definita o non definita affatto di libertà, che sta alla base di questa cultura, inevitabilmente comporta contraddizioni; ed è evidente che proprio per via del suo uso (un uso che sembra radicale) comporta limitazioni della libertà che una generazione fa non riuscivamo neanche a immaginarci. Una confusa ideologia della libertà conduce a un dogmatismo che si sta rivelando sempre più ostile verso la libertà.

Destino dell'Europa (2004)[10]

L'Europa, proprio in questa ora del suo massimo successo, sembra diventata vuota dall'interno, paralizzata in un certo qual senso da una crisi del suo sistema circolatorio, una crisi che mette a rischio la sua vita, affidata per così dire a trapianti, che poi però non possono che eliminare la sua identità.

A questo interiore venir meno delle forze spirituali portanti corrisponde il fatto che anche etnicamente l'Europa appare sulla via del congedo.

C'è una strana mancanza di voglia di futuro. I figli, che sono il futuro, vengono visti come una minaccia per il presente; essi ci portano via qualcosa della nostra vita, così si pensa. Essi non vengono sentiti come una speranza, bensì come un limite del presente.

Il confronto con l'Impero Romano al tramonto si impone: esso funzionava ancora come grande cornice storica, ma in pratica viveva già di quelli che dovevano dissolverlo, poiché esso stesso non aveva più alcuna energia vitale.

Famiglia, coppie di fatto, gay (2004)[11]

Tutti sappiamo quanto il matrimonio e la famiglia siano minacciati da una parte mediante lo svuotamento della loro indissolubilità a opera di forme sempre più facili di divorzio, dall'altra attraverso un nuovo comportamento che si va diffondendo sempre di più, la convivenza di uomo e donna senza la forma giuridica del matrimonio. In vistoso contrasto con tutto ciò vi è la richiesta di comunione di vita di omosessuali, che ora paradossalmente richiedono una forma giuridica, la quale più o meno deve venir equiparata al matrimonio. Con questa tendenza si esce fuori dal complesso della storia morale dell'umanità che, nonostante ogni diversità di forme giuridiche del matrimonio, sapeva tuttavia sempre che questo, secondo la sua essenza, è la particolare comunione di uomo e donna che si apre ai figli e così alla famiglia. Qui non si tratta di discriminazione, bensì della questione di cos'è la persona umana in quanto uomo e donna e di come l'essere insieme di uomo e donna può ricevere una forma giuridica. Se da una parte il loro stare insieme si distacca sempre più da forme giuridiche, se dall'altra l'unione omosessuale viene vista sempre più come dello stesso rango del matrimonio, siamo allora davanti a una dissoluzione dell'immagine dell'uomo, le cui conseguenze possono solo essere estremamente gravi.

Fede (1993)[12]

La fede è un'obbedienza di cuore a quella forma di insegnamento alla quale siamo stati consegnati.

Figura storica di Gesù (2001)[13]

Il problema centrale del nostro tempo è lo svuotamento della figura storica di Gesù Cristo. Un Gesù impoverito non può essere l'unico Salvatore e mediatore, il «Dio con noi»; Gesù viene così sostituito con l'idea dei «valori del regno» e diventa una speranza vuota. Noi dobbiamo ritornare con chiarezza al Gesù dei Vangeli, poiché lui solo è anche il vero Gesù storico.

Giovanni Paolo II (2005 – messa funebre)[14]

Il Santo Padre ha trovato il riflesso più puro della misericordia di Dio nella Madre di Dio. Lui, che aveva perso in tenera età la mamma, tanto più ha amato la Madre divina. Ha sentito le parole del Signore crocifisso come dette proprio a lui personalmente: «Ecco tua madre!». Ed ha fatto come il discepolo prediletto: l'ha accolta nell'intimo del suo essere – *Totus tuus*. E dalla madre ha imparato a conformarsi a Cristo. Per tutti noi rimane indimenticabile come in questa ultima domenica di Pasqua della sua vita, il Santo Padre, segnato dalla sofferenza, si è affacciato ancora una volta alla finestra del palazzo apostolico e un'ultima volta ha dato la benedizione *Urbi et Orbi*. Possiamo essere sicuri che il nostro amato papa sta adesso alla finestra della casa del Padre, ci vede e ci benedice. Sì, ci benedica, Santo Padre. Noi affidiamo la tua cara anima alla Madre di Dio, tua Madre, che ti ha guidato ogni giorno e ti guiderà adesso alla gloria eterna del Suo Figlio, Gesù Cristo nostro Signore.

Guerra giusta 1 (2001)[15]

Si definisce in base a questi parametri: 1- Che si tratti realmente dell'unica possibilità di difendere vite umane, difendere valori umani, il tutto ponderato realmente nella coscienza e ponderando altre alternative. 2- Che si applichino solo i mezzi immediati atti a questa difesa e che si rispetti sempre il diritto; in una tale guerra il nemico deve essere rispettato dall'uomo e tutti i diritti fondamentali devono essere rispettati. [Le risposte della tradizione cristiana] devono essere aggiornate sulla base delle nuove possibilità di distruzione, dei nuovi pericoli. Quindi sono da aggiornare, ma direi che non si può escludere totalmente a priori ogni necessità, anche morale, di una difesa di persone e valori con i mezzi adeguati, contro aggressori ingiusti.

Guerra giusta 2 (2004)[16]

È un grande problema. Quando c'è un'aggressione del male che minaccia di distruggere non solo valori e persone, ma l'immagine dell'uomo come tale, difendersi, anche per difendere l'altro, può essere un dovere. Un padre di famiglia che vede aggrediti i suoi, ha il dovere di fare il possibile per difendere la famiglia, anche eventualmente con una violenza proporzionata.

Guerra preventiva (2002)[17]

Il concetto di guerra preventiva non appare nel Catechismo. Non si può semplicemente dire che il Catechismo non legittima la guerra, ma è vero che il Catechismo ha sviluppato una dottrina tale che da una parte non esclude che ci siano dei valori e delle popolazioni da difendere, in talune circostanze, e dall'altra propone una dottrina molto precisa sui limiti di queste possibilità.

Incarnazione (1997)[18]

L'incarnazione non è un qualsiasi principio filosofico generale, secondo cui lo spirituale dovrebbe sempre prendere corpo ed esprimersi in corrispondenza delle diverse situazioni. L'incarnazione non è un'idea filosofica, ma un evento storico, che proprio nella sua singolarità e verità è il punto di inserzione di Dio nella storia e il luogo del nostro contatto con lui. Se la si considera, così come la Bibbia esige, non come un principio, ma come un evento, allora la conseguenza è esattamente il contrario: Dio ha legato se stesso a un ben determinato punto storico con tutte le sue limitazioni e vuole che la sua umiltà divenga la nostra.

Islam e Occidente (2004)[19]

La rinascita dell'Islam non è solo collegata con la nuova ricchezza materiale dei Paesi islamici, bensì è anche alimentata dalla consapevolezza che l'Islam è in grado di offrire una base spirituale valida per la vita dei popoli, una base che sembra essere sfuggita di mano alla vecchia Europa, la quale così, nonostante la sua perdurante potenza politica ed economica, viene vista sempre più come condannata al declino e al tramonto.

Libertà (2005)[20]

La libertà, per essere una vera libertà umana, una libertà nella verità, ha bisogno della comunione. Una libertà isolata, una libertà solo per l'io, sarebbe una menzogna e dovrebbe distruggere la comunione umana. La libertà per essere vera, e quindi per essere anche efficiente, ha bisogno di comunione, ma ultimamente della comunione con la verità stessa, con l'amore stesso, con Cristo, col Dio trinitario. Così si crea comunità, che crea libertà e dona gioia.

Matrimoni omosessuali (2003)[21]
(Ai politici: norme di comportamento sul fenomeno dei matrimoni omosessuali)

Nei confronti del fenomeno delle unioni omosessuali, di fatto esistenti, le autorità civili assumono diversi atteggiamenti: a volte si limitano alla tolleranza di questo fenomeno; a volte promuovono il riconoscimento legale di tali unioni, con il pretesto di evitare, rispetto ad alcuni diritti, la discriminazione di chi convive con una persona dello stesso sesso; in alcuni casi favoriscono persino l'equivalenza legale delle unioni omosessuali al matrimonio propriamente detto, senza escludere il riconoscimento della capacità giuridica di procedere all'adozione di figli.

Laddove lo Stato assuma una politica di tolleranza di fatto, non implicante l'esistenza di una legge che esplicitamente concede un riconoscimento legale a tali forme di vita, occorre ben discernere i diversi aspetti del problema. La coscienza morale esige di essere, in ogni occasione, testimoni della verità morale integrale, alla quale si oppongono sia l'approvazione delle relazioni omosessuali sia l'ingiusta discriminazione nei confronti delle persone omosessuali. Sono perciò utili interventi discreti e prudenti, il contenuto dei quali potrebbe essere, per esempio, il seguente: smascherare l'uso strumentale o ideologico che si può fare di questa tolleranza; affermare chiaramente il carattere immorale di questo tipo di unione; richiamare lo Stato alla necessità di contenere il fenomeno entro limiti che non mettano in pericolo il tessuto della moralità pubblica e, soprattutto, che non espongano le giovani generazioni a una concezione erronea della sessualità e del matrimonio, che le priverebbe delle necessarie difese e contribuirebbe, inoltre, al dilagare del fenomeno stesso. A coloro che a partire da questa tolleranza vogliono procedere alla legittimazione di specifici diritti per le persone omosessuali conviventi, bisogna ricordare che la tolleranza del male è qualcosa di molto diverso dall'approvazione o dalla legalizzazione del male.

In presenza del riconoscimento legale delle unioni omosessuali, oppure dell'equiparazione legale delle medesime al matrimonio con accesso ai diritti che sono propri di quest'ultimo, è doveroso opporsi in forma chiara e incisiva. Ci si deve astenere da qualsiasi tipo di cooperazione formale alla promulgazione o all'applicazione di leggi così gravemente ingiuste nonché, per quanto è possibile, dalla cooperazione materiale sul piano applicativo. In questa materia ognuno può rivendicare il diritto all'obiezione di coscienza.

Odio di sé dell'Occidente (2004)[22]

C'è [...] un odio di sé dell'Occidente che è strano e che si può considerare solo come qualcosa di patologico; l'Occidente tenta sì in maniera lodevole di aprirsi pieno di comprensione a valori esterni, ma non ama più se stesso; della sua propria storia vede oramai soltanto ciò che è deprecabile e distruttivo, mentre non è più in grado di percepire ciò che è grande e puro.

L'Europa, per sopravvivere, ha bisogno di una nuova – certamente critica e umile – accettazione di se stessa, se essa vuole davvero sopravvivere. La multiculturalità, che viene continuamente e con passione incoraggiata e favorita, è talvolta soprattutto abbandono e rinnegamento di ciò che è proprio, fuga dalle cose proprie. Ma la multiculturalità non può sussistere senza costanti in comune, senza punti di orientamento a partire dai valori propri. Essa sicuramente non può sussistere senza rispetto di ciò che è sacro.

Di essa fa parte l'andare incontro con rispetto agli elementi sacri dell'altro, ma questo lo possiamo fare solamente se il sacro, Dio, non è estraneo a noi stessi. Certo, noi possiamo e dobbiamo imparare da ciò che è sacro per gli altri, ma proprio davanti agli altri e per gli altri è nostro dovere nutrire in noi stessi il rispetto davanti a ciò che è sacro e mostrare il volto di Dio che ci è apparso – del Dio che ha compassione dei poveri e dei deboli, delle vedove e degli orfani, dello straniero; del Dio che è talmente umano che egli stesso è diventato un uomo, un uomo sofferente che soffrendo insieme a noi dà al dolore dignità e speranza.

Onu e guerra all'Iraq (2002)[23]

Domanda: La guerra trova una giustificazione morale?

Risposta: In questa situazione certamente no. Ci sono le Nazioni Unite. Sono loro l'istanza che dovrebbe fare la scelta decisiva. È necessario che a decidere sia la comunità dei popoli, non un singolo potere. E il fatto che le Nazioni Unite cerchino il modo di evitare la guerra, mi sembra dimostri con sufficiente evidenza che i danni risulterebbero più grandi dei valori che si vogliono salvare. [...] L'Onu può essere criticata, ma è lo strumento creato dopo la guerra per un coordinamento anche morale della politica.

Pacifismo (2005)[24]

Oggi esiste un nuovo moralismo le cui parole-chiave sono giustizia, pace, conservazione del creato, parole che richiamano dei valori morali essenziali di cui abbiamo davvero bisogno. Ma questo moralismo rimane vago e scivola così, quasi inevitabilmente, nella sfera politico-partitica. Esso è anzitutto una pretesa rivolta agli altri, e troppo poco un dovere personale della nostra vita quotidiana. Infatti, cosa significa giustizia? Chi lo definisce? Che cosa serve alla pace? Negli ultimi decenni abbiamo visto ampiamente nelle nostre strade e sulle nostre piazze come il pacifismo possa deviare verso un anarchismo distruttivo e verso il terrorismo. Il moralismo politico degli anni Settanta, le cui radici non sono affatto morte, fu un moralismo che riuscì ad affascinare anche dei giovani pieni di ideali. Ma era un moralismo con indirizzo sbagliato in quanto privo di serena razionalità, e perché, in ultima analisi, metteva l'utopia politica al di sopra della dignità del singolo uomo, mostrando persino di poter arrivare, in nome di grandi obiettivi, a disprezzare l'uomo. Il moralismo politico, come l'abbiamo vissuto e come lo viviamo ancora, non solo non apre la strada a una rigenerazione, ma la blocca. Lo stesso vale, di conseguenza, anche per un cristianesimo e per una teologia che riducono il nocciolo del messaggio di Gesù, il «Regno di Dio», ai «valori del Regno», identificando questi valori con le grandi parole d'ordine del moralismo politico, e proclamandole, nello stesso tempo, come sintesi delle religioni. Dimenticandosi però, così, di Dio, nonostante sia proprio lui il soggetto e la causa del Regno di Dio. Al suo posto rimangono grandi parole (e valori) che si prestano a qualsiasi tipo di abuso.

Pericoli per l'uomo di oggi (2005)[25]

Viviamo un momento di grandi pericoli e di grandi opportunità per l'uomo e per il mondo, un momento che è anche di grande responsabilità per tutti noi. Durante il secolo passato le possibilità dell'uomo e il suo dominio sulla materia sono cresciuti in misura davvero impensabile. Ma il suo poter disporre del mondo ha anche fatto sì che il suo potere di distruzione abbia raggiunto delle dimensioni che, a volte, ci fanno inorridire. A tale proposito viene spontaneo pensare alla minaccia del terrorismo, questa nuova guerra senza confini e senza fronti. Il timore che esso possa presto impossessarsi delle armi nucleari e biologiche non è infondato e ha fatto sì che, all'interno degli Stati di diritto, si sia dovuti ricorrere a sistemi di sicurezza simili a quelli precedentemente utilizzati soltanto nelle dittature; ma rimane comunque la sensazione che tutte queste precauzioni, in realtà, non possano mai bastare, non essendo possibile né desiderabile un controllo globale. Meno visibili, ma non per questo meno inquietanti, sono le possibilità di automanipolazione che l'uomo ha acquisito. Egli ha scandagliato i recessi dell'essere, ha decifrato le componenti dell'essere umano, e ora è in grado, per così dire, di «costruire» da sé l'uomo, che così non viene più al mondo come dono del Creatore, ma come prodotto del nostro agire, prodotto che, pertanto, può anche essere selezionato secondo le esigenze da noi stessi fissate. Così, su quest'uomo non brilla più lo splendore del suo essere immagine di Dio, che è ciò che gli conferisce la sua dignità e la sua inviolabilità, ma soltanto il potere delle capacità umane. Egli non è più altro che immagine dell'uomo – di quale uomo? A questo si aggiungono i grandi problemi planetari: la disuguaglianza nella ripartizione dei beni della Terra, la crescente povertà, anzi l'impoverimento, lo sfruttamento della Terra e delle sue risorse, la fame, le malattie che minacciano tutto il mondo, lo scontro delle culture. Tutto ciò mostra che al crescere delle nostre possibilità non corrisponde un uguale sviluppo della nostra energia morale. La forza morale non è cresciuta assieme allo sviluppo della scienza, anzi, piuttosto è diminuita, perché la mentalità tecnica confina la morale nell'ambito soggettivo, mentre noi abbiamo bisogno proprio di una morale pubblica, una morale che sappia rispondere alle minacce che gravano sull'esistenza di tutti noi. Il vero, più grave pericolo di questo momento sta proprio in questo squilibrio tra possibilità tecniche ed energia morale. La sicurezza, di cui abbiamo bisogno come presupposto della nostra libertà e della nostra dignità, non può venire in ultima analisi da sistemi tecnici di controllo, ma può, appunto, scaturire soltanto dalla forza morale dell'uomo: laddove essa manca o non è sufficiente, il potere che l'uomo ha si trasformerà sempre di più in un potere di distruzione.

Potere (2005)[26]

Gesù, condannato come sedicente re, viene deriso, ma proprio nella derisione emerge crudelmente la verità. Quante volte le insegne del potere portate dai potenti di questo mondo sono un insulto alla verità, alla giustizia e alla dignità dell'uomo! Quante volte i loro rituali e le loro grandi parole, in verità, non sono altro che pompose menzogne, una caricatura del compito a cui sono tenuti per il loro ufficio, quello di mettersi a servizio del bene. Gesù, colui che viene deriso e che porta la corona della sofferenza, è proprio per questo il vero re. Il suo scettro è giustizia (cfr. Sal 45, 7). Il prezzo della giustizia è sofferenza in questo mondo: lui, il vero re, non regna tramite la violenza, ma tramite l'amore, e soffre per noi e con noi. Egli porta la croce su di sé, la nostra croce, il peso dell'essere uomini, il peso del mondo. È così che egli ci precede e ci mostra come trovare la via per la vita vera.

Relativismo (2005)[27]

Quanti venti di dottrina abbiamo conosciuto in questi ultimi decenni, quante correnti ideologiche, quante mode del pensiero... La piccola barca del pensiero di molti cristiani è stata non di rado agitata da queste onde – gettata da un estremo all'altro: dal marxismo al liberalismo, fino al libertinismo; dal collettivismo all'individualismo radicale; dall'ateismo a un vago misticismo religioso; dall'agnosticismo al sincretismo e così via. Ogni giorno nascono nuove sette e si realizza quanto dice san Paolo sull'inganno degli uomini, sull'astuzia che tende a trarre nell'errore (cfr. Ef 4, 14). Avere una fede chiara, secondo il credo della Chiesa, viene spesso etichettato come fondamentalismo. Mentre il relativismo, cioè il lasciarsi portare «qua e là da qualsiasi vento di dottrina», appare come l'unico atteggiamento all'altezza dei tempi odierni. Si va costituendo una dittatura del relativismo che non riconosce nulla come definitivo e che lascia come ultima misura solo il proprio io e le sue voglie.

Ricerca scientifica e dignità della persona (2004)[28]

[...] La dignità umana e i diritti umani devono essere presentati come valori che precedono qualsiasi giurisdizione statale. Questi diritti fondamentali non vengono creati dal legislatore, né conferiti ai cittadini, ma piuttosto esistono per diritto proprio, sono da sempre da rispettare da parte del legislatore, sono a lui previamente dati come valori di ordine superiore.

Questa validità della dignità umana previa a ogni agire politico e a ogni decisione politica rinvia ultimamente al Creatore: solamente egli può stabilire valori che si fondano sull'essenza dell'uomo e che sono intangibili. Che ci siano valori che non sono manipolabili per nessuno è la vera e propria garanzia della nostra libertà e della grandezza umana; la fede cristiana vede in ciò il Mistero del Creatore e della condizione di immagine di Dio che egli ha conferito all'uomo.

Ora oggi quasi nessuno negherà direttamente la precedenza della dignità umana e dei diritti umani fondamentali rispetto a ogni decisione politica; sono ancora troppo recenti gli orrori del nazismo e della sua teoria razzista. Ma nell'ambito concreto del cosiddetto progresso della medicina ci sono minacce molto reali per questi valori: sia che noi pensiamo alla clonazione, sia che pensiamo alla conservazione dei feti umani a scopo di ricerca e di donazione degli organi, sia che pensiamo a tutto quanto l'ambito della manipolazione genetica – la lenta consunzione della dignità umana che qui ci minaccia non può venir misconosciuta da nessuno.

Scienza e tecnica (1987)[29]

La scienza e la tecnica, preziose risorse dell'uomo quando si pongono al suo servizio e ne promuovono lo sviluppo integrale a beneficio di tutti, non possono da sole indicare il senso dell'esistenza e del progresso umano. Essendo ordinate all'uomo da cui traggono origine e incremento, attingono dalla persona e dai suoi valori morali l'indicazione della loro finalità e la consapevolezza dei loro limiti. Sarebbe, perciò, illusorio rivendicare la neutralità morale della ricerca scientifica e delle sue applicazioni; d'altro canto non si possono desumere i criteri di orientamento dalla semplice efficienza tecnica, dall'utilità che possono arrecare ad alcuni a danno di altri o, peggio ancora, dalle ideologie dominanti. Pertanto la scienza e la tecnica richiedono, per il loro stesso intrinseco significato, il rispetto incondizionato dei criteri fondamentali della moralità: debbono essere, cioè, al servizio della persona umana, dei suoi diritti inalienabili e del suo bene vero e integrale secondo il progetto e la volontà di Dio. Il rapido sviluppo delle scoperte tecnologiche rende più urgente questa esigenza di rispetto dei criteri ricordati: la scienza senza la coscienza ad altro non può portare che alla rovina dell'uomo.

Spirito Santo: sceglie il papa nel conclave? (1997)[30]

Non lo direi, quanto meno non nel senso che sia lo Spirito Santo a pescare il papa [nel conclave] [...] Direi che lo Spirito non prende esattamente il controllo della faccenda, ma piuttosto, come un buon educatore qual è, ci lascia molto spazio, molta libertà, senza abbandonarci interamente. Perciò il ruolo dello Spirito dovrebbe essere compreso in un senso molto più elastico, non che detti chi sia il candidato per cui votare. Probabilmente l'unica assicurazione che offre è che la cosa non può venir completamente rovinata.

Dal primo messaggio di Sua Santità Benedetto XVI al termine della concelebrazione eucaristica con i cardinali elettori in Cappella Sistina

Mercoledì, 20 aprile 2005

Nel mio animo convivono in queste ore due sentimenti contrastanti. Da una parte, un senso di inadeguatezza e di umano turbamento per la responsabilità che ieri mi è stata affidata, quale successore dell'apostolo Pietro in questa Sede di Roma, nei confronti della Chiesa universale. Dall'altra parte, sento viva in me una profonda gratitudine a Dio, che – come ci fa cantare la liturgia – non abbandona il suo gregge, ma lo conduce attraverso i tempi, sotto la guida di coloro che egli stesso ha eletto vicari del suo Figlio e ha costituito pastori. Questa intima riconoscenza per un dono della divina misericordia prevale malgrado tutto nel mio cuore. E considero questo fatto una grazia speciale ottenutami dal mio venerato predecessore, Giovanni Paolo II. Mi sembra di sentire la sua mano forte che stringe la mia; mi sembra di vedere i suoi occhi sorridenti e di ascoltare le sue parole, rivolte in questo momento particolarmente a me: «Non avere paura!».

La morte del Santo Padre Giovanni Paolo II, e i giorni che sono seguiti, sono stati per la Chiesa e per il mondo intero un tempo straordinario di grazia. Il grande dolore per la sua scomparsa e il senso di vuoto che ha lasciato in tutti sono stati temperati dall'azione di Cristo risorto, che si è manifestata durante lunghi giorni nella corale ondata di fede, d'amore e di spirituale solidarietà, culminata nelle sue solenni esequie. Possiamo dirlo: i funerali di Giovanni Paolo II sono stati un'esperienza veramente straordinaria in cui si è in qualche modo percepita la potenza di Dio che, attraverso la sua Chiesa, vuole formare di tutti i popoli una grande famiglia, mediante la forza unificante della verità e dell'amore. Nell'ora della morte, conformato al suo Maestro e Signore, Giovanni Paolo II ha coronato il suo lungo e fecondo pontificato, confermando nella fede il popolo cristiano, radunandolo intorno a sé e facendo sentire più unita l'intera famiglia umana. Come non sentirsi sostenuti da questa testimonianza? Come non avvertire l'incoraggiamento che proviene da questo evento di grazia?

Sorprendendo ogni mia previsione, la Provvidenza divina, attraverso il voto dei venerati padri cardinali, mi ha chiamato a succedere a questo grande papa. Ripenso in queste ore a quanto avvenne nella regione di Cesarea di Filippo, duemila anni or sono. Mi pare di udire le parole di Pietro: «Tu sei il Cristo, il Figlio del Dio vivente», e la solenne affermazione del Signore: «Tu sei Pietro e su questa pietra edificherò la mia Chiesa [...] A te darò le chiavi del regno dei cieli» (Mt 16, 15-19). Tu sei il Cristo! Tu sei Pietro! Mi sembra di rivivere la stessa scena evangelica; io, successore di Pietro, ripeto con trepidazione le parole trepidanti del pescatore di Galilea e riascolto con intima emozione la rassicurante promessa del divino Maestro. Se è enorme il peso della responsabilità che si riversa sulle mie povere spalle, è certamente smisurata la potenza divina su cui posso contare: «Tu sei Pietro e su questa pietra edificherò la mia Chiesa» (Mt 16, 18). Scegliendomi quale vescovo di Roma, il Signore mi ha voluto suo vicario, mi ha voluto «pietra» su cui tutti possano poggiare con sicurezza. Chiedo a lui di supplire alla povertà delle mie forze, perché sia coraggioso e fedele pastore del suo gregge, sempre docile alle ispirazioni del suo Spirito. [...]

Mi sta dinanzi, in particolare, la testimonianza del papa Giovanni Paolo II. Egli lascia una Chiesa più coraggiosa, più libera, più giovane. Una Chiesa che, secondo il suo insegnamento ed esempio, guarda con serenità al passato e non ha paura del futuro. Col Grande Giubileo essa si è introdotta nel nuovo millennio recando nelle mani il Vangelo, applicato al mondo attuale attraverso l'autorevole rilettura del Concilio Vaticano II. [...]

Torno con la memoria, in questo momento, all'indimenticabile esperienza vissuta da noi tutti in occasione della morte e dei funerali del compianto Giovanni Paolo II. Attorno alle sue spoglie mortali, adagiate sulla nuda terra, si sono raccolti i capi delle nazioni, persone d'ogni ceto sociale, e specialmente giovani, in un indimenticabile abbraccio di affetto e di ammirazione. A lui ha guardato con fiducia il mondo intero. È sembrato a molti che quella intensa partecipazione, amplificata sino ai confini del pianeta dai mezzi di comunicazione sociale, fosse come una corale richiesta di aiuto rivolta al papa da parte dell'odierna umanità che, turbata da incertezze e timori, si interroga sul suo futuro.

La Chiesa di oggi deve ravvivare in se stessa la consapevolezza del compito di riproporre al mondo la voce di Colui che ha detto: «Io sono la luce del mondo; chi segue me non camminerà nelle tenebre, ma avrà la luce della vita» (Gv 8, 12). Nell'intraprendere il suo ministero il nuovo papa sa che suo compito è far risplendere davanti agli uomini e alle donne di oggi la luce di Cristo: non la propria luce, ma quella di Cristo.

Con questa consapevolezza mi rivolgo a tutti, anche a coloro che seguono altre religioni o che semplicemente cercano una risposta alle domande fondamentali dell'esistenza e ancora non l'hanno trovata. A tutti mi rivolgo con semplicità e affetto, per assicurare che la Chiesa vuole continuare a tessere con loro un dialogo aperto e sincero, alla ricerca del vero bene dell'uomo e della società.

Invoco da Dio l'unità e la pace per la famiglia umana e dichiaro la disponibilità di tutti i cattolici a cooperare per un autentico sviluppo sociale, rispettoso della dignità d'ogni essere umano.

Non risparmierò sforzi e dedizione per proseguire il promettente dialogo avviato dai miei venerati predecessori con le diverse civiltà, perché dalla reciproca comprensione scaturiscano le condizioni di un futuro migliore per tutti.

NOTE

1. Dalla conferenza stampa del cardinale Ratzinger alla consegna del premio Liberal Trieste 2002, alle «Giornate Internazionali del Pensiero Filosofico» promosse dalla Fondazione Liberal, Trieste, 20 settembre 2002 («Avvenire», ANSA e altri organi d'informazione).

2. Dall'intervento del cardinale Ratzinger al convegno «Il diritto alla vita e l'Europa», Aula Magna Augustinianum, Roma, 19 dicembre 1987 («L'Osservatore Romano»).

3. XXV Anniversario del pontificato di Giovanni Paolo II, concerto del Mitteldeutscher Rundfunk di Lipsia, Indirizzo di saluto del cardinale Ratzinger, Roma, 17 ottobre 2003 (documentazione vaticana, dal sito ufficiale della Santa Sede, www.vatican.va).

4. Messaggio del cardinale Ratzinger al XXIII Meeting per l'Amicizia tra i popoli, Rimini, 21 agosto 2002 («30Giorni», settembre 2002).

5. Congregazione per la dottrina della fede, *Nota dottrinale circa alcune questioni riguardanti l'impegno e il comportamento dei cattolici nella vita politica*, Città del Vaticano, 24 novembre 2002 («Tracce», marzo 2003).

6. Dall'intervista del cardinale Ratzinger a Radio Vaticana (ANSA, 7 marzo 1997).

7. Dalla conferenza tenuta dal cardinale Ratzinger su *L'Europa nella crisi delle culture*, Monastero di Santa Scolastica, Subiaco, I aprile 2005.

8. Dal primo messaggio di Sua Santità Benedetto XVI al termine della concelebrazione eucaristica con i cardinali elettori in Cappella Sistina, 20 aprile 2005 («L'Osservatore Romano»).

9. Dalla conferenza tenuta dal cardinale Ratzinger su *L'Europa nella crisi delle culture*, cit.

10. *Lectio magistralis* del cardinale Ratzinger su *Le radici spirituali dell'Europa*, Roma, Sala Capitolare del Convento di Santa Maria

sopra Minerva, 13 maggio 2004 (Archivio del Senato della Repubblica – Eventi del Senato).

11. *Lectio magistralis* del cardinale Ratzinger su *Le radici spirituali dell'Europa*, cit.

12. Dalla conferenza pubblica del cardinale Ratzinger, appunti dell'Autore.

13. J. Ratzinger, «La fede, vero tesoro della Chiesa», «L'Osservatore Romano», 8 novembre 2001.

14. Dall'omelia della messa funebre per Giovanni Paolo II, basilica di San Pietro, 28 aprile 2005.

15. Dall'intervista del cardinale Ratzinger a «105», canale FM della Radio Vaticana (ANSA, 13 novembre 2001).

16. Dall'intervista del cardinale Ratzinger a Radio Vaticana (riproposta da ANSA, 19 aprile 2005).

17. Dalla conferenza stampa del cardinale Ratzinger alla consegna del premio Liberal Trieste 2002, alle «Giornate Internazionali del Pensiero Filosofico» promosse dalla Fondazione Liberal, Trieste, 20 settembre 2002 («Avvenire», 21 settembre 2002).

18. Dall'intervento del cardinale Ratzinger al Congresso Eucaristico, sul tema *Eucaristia come genesi della missione* («Tracce», I ottobre 1997).

19. *Lectio magistralis* del cardinale Ratzinger su *Le radici spirituali dell'Europa*, cit.

20. Dall'omelia della messa funebre di don Luigi Giussani, duomo di Milano, 24 febbraio 2005.

21. Congregazione per la dottrina della fede, *Considerazioni circa i progetti di riconoscimento legale delle unioni tra persone omosessuali*, 3 giugno 2003 (documentazione vaticana, dal sito ufficiale della Santa Sede, www.vatican.va).

22. *Lectio magistralis* del cardinale Ratzinger su *Le radici spirituali dell'Europa*, cit.

23. Dalla conferenza stampa del cardinale Ratzinger alla consegna del premio Liberal Trieste 2002, cit.

24. Dalla conferenza tenuta dal cardinale Ratzinger su *L'Europa nella crisi delle culture*, cit.

25. Dalla conferenza tenuta dal cardinale Ratzinger su *L'Europa nella crisi delle culture*, cit.

26. Ufficio delle celebrazioni liturgiche del Sommo Pontefice – Via Crucis al Colosseo – Meditazioni del cardinale Ratzinger – 25

marzo 2005 (documentazione vaticana, dal sito ufficiale della Santa Sede, www.vatican.va).

27. Dall'omelia del cardinale Ratzinger, durante la messa *Pro eligendo romano pontifice*, basilica di San Pietro, 18 aprile 2005.

28. *Lectio magistralis* del cardinale Ratzinger su *Le radici spirituali dell'Europa*, cit.

29. Congregazione per la dottrina della fede, Donum vitae – *Il rispetto della vita umana nascente e la dignità della procreazione*, 22 febbraio 1987 (documentazione vaticana, dal sito ufficiale della Santa Sede, www.vatican.va).

30. Dall'intervista alla televisione bavarese, riproposta da National Catholic Reporter, 15 aprile 2005.

LA VITA DI BENEDETTO XVI

Cronologia

1927   Joseph Alois Ratzinger nasce il 16 aprile, Sabato Santo, in una casa al numero 11 di Marktplatz a Marktl am Inn, in Baviera (Germania). Figlio di un poliziotto, Josef, e di una ex cuoca d'albergo, Maria. È il terzo e ultimo dei figli, dopo Georg e Maria.

1929   I Ratzinger si trasferiscono a Tittmoning, vicino al confine con l'Austria.

1932   Nuovo trasferimento della famiglia, ad Auschau am Inn, vicino alle Alpi.

1937   La famiglia si sistema a Traunstein, la cittadina bavarese dove Joseph trascorrerà gran parte degli anni della giovinezza. Comincia qui la scuola, al locale ginnasio.

1939   Joseph Ratzinger entra nel Seminario minore di St. Michael.

1943   Riceve l'ordine di presentarsi il 2 agosto per indossare la divisa militare tedesca. Viene inizialmente assegnato alla Flak, l'artiglieria contraerea, vicino a Monaco di Baviera. Viene poi mandato a installare trappole anticarro vicino al confine con l'Austria.

1945   Al compimento dei diciotto anni, gli viene ordinato l'addestramento militare formale in fanteria. Tra aprile e maggio decide la diserzione. Torna a Traunstein e viene catturato dagli americani arrivati in città. Resta prigioniero per alcune settimane, poi può tornare a casa. La guerra è finita. A novembre riprende gli studi in seminario con il fratello Georg.

1947   Si trasferisce al Seminario Georgianum di Monaco, prosegue gli studi alla Scuola superiore di filosofia e teologia di Frisinga.

1951   Joseph e Georg Ratzinger vengono ordinati preti insieme il 29 giugno a Frisinga dal cardinale Faulhaber.

1953   Ottiene la laurea in teologia all'Università di Monaco. Presenta in quattro anni due importanti lavori, uno su sant'Agostino, l'altro su san Bonaventura.

1959   Si trasferisce a Bonn, dove insegna teologia fondamentale fino al 1963. Il 23 agosto muore suo padre Josef.

1962   Partecipa in qualità di *peritus* dell'arcivescovo di Colonia al Concilio Vaticano II a Roma. Si mette in luce come uno dei più brillanti teologi della nuova generazione.

1963   È docente di teologia all'Università di Münster (Germania). Il 16 dicembre muore la madre Maria.

1966   Chiamato e voluto dal teologo Hans Küng, si trasferisce all'Università di Tubinga (Germania).

1968   Pubblica *Introduzione al cristianesimo*, prima opera a dargli notorietà anche fuori dall'ambiente accademico.

1969   Lascia Tubinga a causa del clima provocato dalla contestazione studentesca e delle posizioni dei suoi colleghi docenti. Si trasferisce all'Università di Ratisbona in Baviera.

1972   Insieme ai teologi Hans Urs von Balthasar e Henri de Lubac, dà vita alla rivista «Communio», inizialmente in italiano e in tedesco, poi in altre lingue. È in forte contrapposizione alle idee del gruppo che ruota intorno a Küng e alla loro rivista, «Concilium».

1977   Il 24 marzo papa Paolo VI lo nomina arcivescovo di Monaco e Frisinga. L'ordinazione episcopale arriva il 28 maggio. Il 27 giugno viene nominato cardinale.

1978   Il 6 agosto muore Paolo VI. Ratzinger si reca a Roma per il conclave nel quale, il 26 agosto, viene eletto papa il patriarca di Venezia Albino Luciani, con il nome di Giovanni Paolo I. Il 28 settembre papa Luciani muore. Ratzinger torna a Roma per un nuovo conclave. Il 16 ottobre viene eletto l'arcivescovo di Cracovia Karol Wojtyla, che assume il nome di Giovanni Paolo II.

1981   Il 25 novembre Giovanni Paolo II lo nomina prefetto della Congregazione per la dottrina della fede.

1985 Pubblica il libro-intervista *Rapporto sulla fede*, che diventa un bestseller internazionale.

1992 Presenta la nuova edizione del Catechismo universale della Chiesa cattolica.

2000 Presenta il documento *Dominus Jesus*.

2005 Prepara le meditazioni per la Via Crucis al posto del papa malato. Giovanni Paolo II muore il 2 aprile. Come decano del collegio dei cardinali, Ratzinger guida le cerimonie funebri, pronuncia l'omelia al funerale in piazza San Pietro, guida i cardinali nel conclave nella Cappella Sistina. Il 19 aprile viene eletto duecentosessantacinquesimo papa della storia. Sceglie il nome Benedetto XVI.

NOTA DELL'AUTORE

Grandi biografie di papa Benedetto XVI ci attendono nei prossimi anni, da parte di studiosi che ne analizzeranno gli scritti e l'insegnamento. Il presente volume voleva offrire una prima occasione, a caldo, per scoprire le tappe fondamentali, la personalità e gli insegnamenti del teologo, cardinale e papa Joseph Ratzinger. Non era questa quindi la sede per un'analisi dettagliata delle opere di Ratzinger o per tentare una prima bibliografia che raccogliesse la sua sterminata produzione.

Per indicare alcune delle molteplici fonti che sono alla base di *Nella vigna del Signore*, e per offrire spunti per un approfondimento personale su Benedetto XVI, proponiamo qui di seguito alcuni libri e strumenti.

M.B.

J. Allen, *Cardinal Ratzinger. The Vatican's enforcer of the faith,* Continuum International Publishing Group, New York, 2001.

Congregazione per la dottrina della fede, *Dichiarazione circa l'unicità e l'universalità salvifica di Gesù Cristo e della Chiesa – Dominus Jesus*, Libreria Editrice Vaticana, Città del Vaticano, 2000.

V. Messori, J. Ratzinger, *Rapporto sulla fede*, Edizioni San Paolo, Cinisello Balsamo, 1985.

J. Ratzinger, P. Seewald, *Il sale della terra. Cristianesimo e Chiesa cattolica nella svolta del millennio*, Edizioni San Paolo, Cinisello Balsamo, 1996.

Nota dell'Autore

J. Ratzinger, *Introduzione al cristianesimo*, Queriniana, Brescia, 1968.

J. Ratzinger, *La mia vita. Ricordi (1927-1977)*, Edizioni San Paolo, Cinisello Balsamo, 1997.

J. Ratzinger, *Via Crucis 2005*, Libreria Editrice Vaticana, Città del Vaticano, 28 aprile 2005.

«Communio» – International Catholic Review. Articoli di J. Ratzinger:
- *Communio: A Program*, n. 3 (1992), 436-49;
- *Interreligious Dialogue and Jewish-Christian Relations*, n. 1 (1998), pp. 29-41;
- *The Holy Spirit as Communio: Concerning the Relationship of Pneumatology and Spirituality in Augustine*, n. 2 (1998), pp. 324-339 RT;
- *The Theological Locus of Ecclesial Movements*, n. 3 (1998), pp. 480-504;
- *Thoughts on the Place of Marian Doctrine and Piety in Faith and Theology as a Whole*, n. 1 (2003), pp. 147-160;
- *Introduction to Christianity: Yesterday, Today, and Tomorrow*, n. 3 (2004), pp. 481-495.

INDICE

Finito di stampare
nel mese di maggio 2005 presso il
Nuovo Istituto Italiano d'Arti Grafiche - Bergamo

Printed in Italy